PARA
FLORENCIA
CON MUCHO
AFECTO

JULIO 2004

Dirección editorial: Silvia Jáuregui
Colección dirigida por Susana Aime
Imagen de tapa: Pablo Bernasconi

Av. Paseo Colón 1350
C1063ADN Ciudad de Buenos Aires

ISBN 987-1098-19-7
Hecho el depósito que establece la ley 11.723
Preimpresión: Latingráfica / Impresos Offset
Impreso en la Argentina / *Printed in Argentina*

A868 FUR
Furiasse, Mariana
Rafaela.- 1era ed.- Buenos Aires: SM, 2002
120 p.; 19x12 cm.- (El Barco de Vapor, rojo)

ISBN 987-1098-19-7

I. Título - 1. Literatura Infantil y Juvenil Argentina

EL BARCO  DE VAPOR 

Rafaela

Mariana Furiasse

PREMIO EL BARCO DE VAPOR 2002

Los kilos me pesan. No tanto como me pesan las miradas. Me llamo Rafaela Rivera y tengo 16 años. No me veo redonda pero muy poco puedo parecerme a esas modelos de la tele. Me harté de escuchar el típico "Tenés una cara preciosa" mientras piensan "lástima el cuerpo". Incluso me lo han dicho: "Vos con unos kilos menos serías una diosa". Mi cara, lo admito, es linda pero quiero pensar que algún beneficio tenemos que tener las mujeres de caderas anchas.

Sé, en cambio, perfectamente, los beneficios de ser delgada hasta los huesos. "Flaca zaraca", como dice mi abuela. Lo sé porque tengo dos ejemplares en casa. Que no he podido imitar. Mamá y mi hermana. Sí, la abuela también pero no vive con nosotras.

Me he cansado de ver bailar a mis amigas y me resigné a que eso para mí no es. Los varones y yo nos relacionamos históricamente sin relación alguna. Ni amigos, ni novios, ni nada.

Además, soy tímida. Y callada. Y las cosas que me gustan no las puedo compartir con mis amigas. Me gustan los libros, el cine y el teatro y otras cosas arriesgadas. Pero, por sobre todas las cosas, amo mi violín desde que cayó en mis manos luego de que papá se fue. "Papá tocaba el violín como los dioses", dice mamá siempre que acepta hablar de él.

Voy a bailar de vez en cuando para estar con las chicas, pero no porque me guste el apretujamiento de gente y que todo el mundo observe y se muestre. No me gusta mostrarme, ni que me observen.

En el autorretrato que me pidieron en el colegio tengo que incluir lo físico. Incluiré solo la cara, el resto del cuerpo no existe. O existe en abundancia. Por lo tanto, de mí puedo decir que tengo la cara redonda y la piel color durazno (lo dice el abuelo). El pelo largo, del mismo color de un carozo de durazno, un morado intenso. Los ojos azules y la mirada de hielo. Esto último acotado siempre por mamá: "Vos tenés una mirada que lastima". Y puede ser, porque de alguna forma me tengo que defender de las cosas que pasan. Me encanta tener la mirada de hielo.

Seguramente jamás llevaré esto al colegio porque no me interesa que lo lea nadie, ni siquiera Ana, que es la profesora que más quiero. La única que sabe que existo, ahí, en el fondo del aula. Porque con los profesores tampoco me llevo. Ni me van ni me vienen.

Mamá se llama Nadine. Que siempre me sonó a nada. No entiendo cómo la abuela le eligió semejante nombre. Nunca me llevé bien con mamá. Es la verdad. Jamás nos entendimos y Aitana es tan parecida a ella que con mi hermana tampoco la relación ha sido de lo mejor. Pero admiro a mamá porque se ocupó sola de todo desde que papá se fue. Obvio que están los abuelos pero nunca vivimos con ellos y mamá se las ingenió para criarnos. Pero una cosa no quita la otra. Mamá es el extremo opuesto a mi persona.

Odia mis zapatillas. Odia que sean eternas en mis pies a medida que crezco. Odia la ropa grande y el pelo largo, la cara lavada. Y mis caderas anchas. Mamá es el ejemplo de una modelo mamá, que no es exactamente una mamá modelo. Vamos por la calle y todos los hombres, todos, hasta los chicos de mi edad, la miran. Y la miran no solo a ella, con Aitana pasa lo mismo. Si parecen hermanas más que madre e hija. La mía es una familia de mujeres bellas y yo soy la excepción.

Mamá trabaja demasiado. Mucho. Ahora que estamos grandes sale con sus amigas. Y no nos vemos tanto. Pienso, cada vez más, que se ha casado tan joven y nos ha tenido tan pronto a las dos que ahora, con sus cuarenta y pico, recién está disfrutando de lo que antes se privó.

Pese al parecido entre mamá y mi hermana dudo de que lo mismo le pase a Aitana. Ella sí la está pasando bárbaro a su edad. En casa no para. Empezó la facultad este año. Estudia comercio exterior. Y ahora tiene los amigos del secundario y los de la facu. Todo un caos de amigos y teléfono que no para de atender. La llaman muchos chicos pero novio, por ahora, no le he conocido.

Aitana de papá no habla. No existe para ella. Es rara, Aitana, porque tiene un carácter terrible pero cuando está de buen humor nadie a su lado puede estar mal. Ni siquiera yo. Con el tiempo me di cuenta de que Aitana es de esa gente, escasa, a la que todo el mundo quiere tener cerca. Cuando se ríe, cuando nos reímos, mejor dicho, en ese momento siento que somos hermanas. Tiene la risa contagiosa como yo. Y se ríe de todo, hasta de ella. Cuando está de malhumor todo le molesta. Te mira como si te fuera a atravesar con la mirada. Ella también tiene mirada de hielo.

Admito que me siento más cómoda con Aitana que con mamá. Porque mamá eso de hacer sentir bien a los demás no lo logra en absoluto. Mamá es ella y solo ella. A veces me pregunto si me conoce, si sabe quién soy y qué pienso. Lo dudo.

Aitana sabe. Entiende poco y comparte menos, pero sabe. Cuando está triste me pide que le toque algo en el violín. Viene a la noche cuando estoy leyendo en la cama antes de apagar la luz, se sienta al lado de mis pies y me acerca el violín. Me escucha con los ojos llenos de lágrimas. A veces llora. Yo no digo nada, solo toco. Ahora me doy cuenta de que cuando Aitana me escucha tocar, en realidad lo está escuchando a papá.

Siempre pienso que papá se fue espantado por mamá. No entiendo por qué no nos viene a ver a nosotras. Eso sí no lo entiendo. O por qué no la ayuda a mamá a mantener la casa. Aunque ella siempre aportó más que él. Mamá es abogada y papá es profesor de violín. Papá se fue cuando yo era tan chica que apenas me acuerdo de su pelo lacio que le llegaba a los hombros y de su olor. Podría reconocerlo por el olor. Quedaron pocas fotos. Sobre todo de mamá y él, y de ellos con Aitana. Ella pudo disfrutarlos más. En cambio, yo casi ni me acuerdo. Me enteré un poco por lo que me han contado y otro poco por escuchar detrás de las puertas, cosa que no debe hacerse pero que me ha servido de mucho. Sé que se fue un día con su violín (dejó el otro, que uso yo) y una valija, y nunca más se supo de él. Que volvió alguna vez y mamá no quiso ni verlo. Y desde entonces no sé nada.

Digo que se habrá ido decepcionado con mamá, porque ahora que estoy más grande no entiendo cómo mamá y papá pueden haber estado juntos. Dicen que los opuestos se atraen pero no creo que sea para tanto. Federica, mi abuela, madre de mi mamá, es la única que piensa que papá era muy bueno y no entiende qué puede haber pasado. Igual le parece terrible que se haya ido así y no tenga contacto con nosotras. Sobre todo, eso. Pero de él antes de irse habla bien. Mamá lo detesta (por no decir odia, que suena demasiado fuerte aunque eso le debe pasar) y no comprende qué la llevó a estar con él. Yo no lo odio. Me gustaría verlo. Porque quiero mostrarle cómo toco el violín. Suena idiota. Pero es la verdad. También quiero saber si el olor que recuerdo es el de él.

Vivimos en una casa. Grande. Cada una tiene su habitación y mamá, además, tiene un estudio con archivos y sus libros. La cocina es enorme. La utiliza más que nadie Tina, que es la señora que trabaja en casa. Tina y yo, porque me encanta cocinar. Mamá apenas sabe hacer fideos y se le pasan. Aitana algo cocina, pero lo que más le gusta es comer. Cada vez que la observo no dejo de preguntarme dónde mete tanta comida. Porque es un palo de flaca.

La cocina da al patio, terreno de Minerva. Minerva es la perra, un miembro más de la familia y mi compañera de las noches en que las dos nos quedamos solas comiendo helado (yo, ella no) mirando una película. Paso muchas horas sola. Sobre todo los fines de semana, pero no es algo que me preocupe, todo lo contrario. Me gusta la casa tranquila, y no me da miedo de que entren ladrones. La mayoría de los sábados a la noche estoy sola.

Típica escena de sábado. Mamá hablando por teléfono horas con sus amigas. La mayoría divorciadas como ella. Arreglan algo para más tarde. Mamá corta y le pregunta a Aitana si va a salir. Aitana sale siempre. Y mamá camina hasta el teléfono avisando que va a llamar a las chicas, que para qué salir, que se va a quedar a acompañarme. Entonces yo, que no quiero ser la causa de su aburrimiento un sábado en la noche, le digo que vaya, que no se preocupe por mí. Que se lleve el celular y cualquier cosa que necesito le aviso. Mamá viene, me da un beso y me ofrece llevarme al video para alquilar algunas películas. Siempre me quiere comprar comida en la rotisería de la avenida. Y siempre le digo que no. Que me cocino yo. Más tarde se visten las dos, preguntándose mutuamente cómo están. Yo miro. Sobre todo, el ritual del maquillaje, en el que cada una en su baño parece un calco de la otra. Mamá se arregla el flequillo rubio y se acomoda las puntas que le alcanzan a los hombros. Aitana se pone una vincha mínima y se eriza con gel el pelo corto que lleva detrás de la vincha. Se lo cortó casi como varón luego de tenerlo como yo de largo. Le queda hermoso. Porque Aitana tiene una cara especial. Generalmente mamá se pone un vestido y Aitana, pollera, sandalias y una remera. Y se van las dos. Cada una por su lado. A Aitana la pasan a buscar las amigas y mamá pasa a buscar a las suyas.

Minerva me mira desde el comienzo de la escalera, vaga para subir. Espera que me ponga el pijama y baje a cocinar. Los sábados le hago unas mezclas que resultan más que delicias para cualquier perro. Después de comer nos acomodamos frente al televisor. Sé que mamá odia que la perra se suba al sillón porque lo llena de pelos. Pero mamá sale y no se entera y antes de que vuelva sacudo mucho los almohadones.

Voy a un colegio mixto. Pero no es así mi relación con los demás. Para nada. Digamos que voy, me siento en el último banco y no existo hasta que vuelvo a salir. No es que tenga mala relación. No tengo. No me hablan, no les hablo. A los varones, digo. Hay un grupo de chicas, mis amigas, con las que estoy en el colegio desde el jardín. Las más más amigas somos cuatro. Ellas en general se llevan bien con todos. En el curso hay dos personas a las que mis compañeros no tienen en cuenta. A mí y al (estoy pensando cómo definirlo) soberbio, insoportable, creído de Fabián. Que se sienta adelante, que siempre levanta la mano, al que ni los profesores se bancan ya. No puede parar de llamar la atención. Los chicos lo gastan siempre. Las chicas lo ignoran y las entiendo porque no lo aguanto. Conmigo es distinto, a mí nadie me molesta. Dudo incluso de que algunos compañeros sepan que existo. Ni hablemos de que sepan mi nombre o algo así. Las chicas sí, saben, pero me relaciono únicamente con mis amigas.

Cuando termine el secundario no tengo ni idea de qué voy a hacer. No creo que vaya a estudiar música. A veces pienso en algo y después, en otra cosa. Pero igual me queda un año de colegio. Aitana decidió qué hacer a último momento, cuando ya comenzaba el año en que tenía que ingresar a la facultad. Yo no me imagino trabajando en algo. No porque no me vaya a gustar. No me imagino en una oficina con una computadora delante. No me imagino nada.

Ni abogada, ni profesora de violín. Para eso están mis papás.

Tampoco comercio exterior. Eso es para Aitana.

Rosario va a ser pintora. Y escultora.

Tania, psicóloga.

Wanda, maestra jardinera.

Yo no tengo la menor idea.

Al final, mi autorretrato fue desastroso, patético, porque no fue el verdadero. Escribí algo así nomás en el auto, a la mañana, cuando mamá me llevaba al colegio. Una porquería y además tuve que leerlo delante de mis compañeros. Vamos a ir leyéndolos de a poco. Y justo la primera tuve que ser yo. Ni mis compañeros ni la profesora se dieron cuenta de la estupidez que estaban escuchando. Si ni me conocen, cualquier cosa que diga de mí misma se la pueden creer. No me animé a leer el verdadero. Tampoco sabe mi profesora que por su pedido me he puesto a escribir de mí, sin saber por qué. Sé que las chicas escriben un diario, o escribían. Diario, algunas; otras, agenda. Pero a mí nunca me interesó y ahora no puedo parar. Igual, escribir me gusta desde siempre. Por eso no me costó inventar el autorretrato.

Los otros que leyeron dijeron: "Soy de tal o cual equipo, me gusta tal o cual cosa. Me veo de tal o cual manera. Pienso que..., etc., etc.". Así. Creo que nadie escribió de sí mismo con absoluta sinceridad. Nadie. Excepto Rosario, hablar de ella, de lo que piensa y siente no le da nada de vergüenza. A veces me pregunto cómo siendo tan distintas podemos ser tan amigas. Creo que es porque ella me acepta como soy y lo mismo hago con ella. Cosa que no me pasa con demasiada gente. Ella ve cosas en mí que yo no veo. Siempre me dice que valgo mucho, que tengo mucho para dar. A Rosario la conocí en el jardín. En un acto. De eso me acuerdo bien, hay otras cosas de las que ni me acuerdo. Estábamos en un acto de jardín, en el escenario, y yo, que no había querido actuar, corría el telón para acá y para allá. Rosario, que siempre quería actuar, era en ese caso la protagonista de la historia. Parada ahí en el medio, toda emperifollada y pintada y con los bucles castaños cayéndole sobre la cara. Tenía que decir unas palabras. Poquitas y ahí terminaba y yo corría el telón. Y aplausos. Pero Rosario se quedó dura, porque se olvidó de la letra. Con los brazos pegados al cuerpo. Desde la parte de atrás del escenario se le veía el puchero. Yo ni me acuerdo cómo fue que se me ocurrió y le empecé a soplar. Y ella dio vuelta la cara para atrás y me miró con los ojos llenos de lágrimas. Y empezó a repetir lo que yo decía y al final se acordó y terminó ella sola. Y yo por lo bajo seguía diciendo la letra como para ayudarla.

Desde el acto que somos amigas.

Rosario es otra persona, de esas como mi hermana, a las que todo el mundo quiere tener cerca. Sobre todo, los chicos. Siempre digo que las chicas quieren ser sus mejores amigas y los varones, estar con ella. Lo que me extraña es que no se enganchan solo para estar con ella un tiempo. Se enamoran perdidamente. Rosario no le da bola a ninguno. Le gustan los chicos más grandes, los que van a la facu. Los que van a bailar bien tarde. Y ella, que parece más grande, se va a bailar con su hermana a la noche. Baila toda la noche. Sola, con nosotras o con algún chico. Siempre me insiste en que la acompañe, que vaya con ella y con la hermana. Sabe que no me dan ganas, que en eso somos terriblemente incompatibles. Me insiste y me argumenta que los chicos a la noche son mucho más maduros. Menos imbéciles que los de la matiné. Pasa que una de las últimas veces que fui un grupito me dijo gorda. Me lo gritó. Y yo me quedé helada. Porque una cosa es que no me saquen a bailar, que está bien, porque van a mostrarse y ganarse a la chica que más buena esté. Y yo buena no estoy. Al menos no parecida al modelo. Digo, tampoco tirarnos tan abajo. Una cosa es que no me saquen a bailar y otra que me agredan porque mis dimensiones les molesten. Me agarró una furia ciega. Era un grupo grande y no sabía qué hacer. Me quedé helada.

Y todo el mundo alrededor se dio cuenta. Por eso no me dan ganas de ir a bailar. Por eso me dice Rosario que a la noche los chicos son más maduros.

Pero estaba escribiendo de Rosario, siempre termino escribiendo de cualquier otra cosa. Rosario es alegre y generosa. Es justiciera, como yo (planeamos mil venganzas para los imbéciles que me gritaron gorda) y siempre le digo que para mí es un poco actriz. Del todo. Y ella insiste con que pintora y escultora. Para mí, sin dudarlo, actriz. Pero ella tiene sus cuadros en el quincho de su casa. Y se pasa horas ahí y cuando está ahí, que nadie por nada la moleste. Rosario es como un pez. No sé, suena estúpido pero es la verdad. Por cómo se mueve. Como pez en el agua. Es alta, esbelta, con un pelo de esos de película. Un pelo largo que parece batido y ojos negros desafiantes. El día en que todos llevamos un autorretrato falso poniendo cualquier pavada, ella escribió algo pero después sacó un papel con sus ojos. Ese era su autorretrato más sincero, dijo, y a Ana, que es la profesora de literatura, igual le encantó.

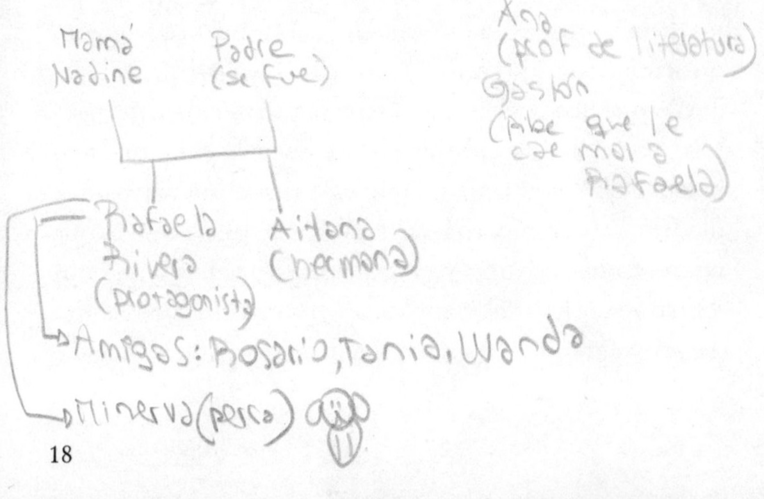

Por suerte llegué del colegio y no había nadie en casa. Tengo un nudo en el medio de la garganta. Todo porque no encontraba el aro izquierdo que se me había caído en el recreo y esperé a que terminaran las clases para buscarlo. Las chicas se fueron corriendo para el gimnasio. Y yo me quedé ahí sola. Cuando lo encontré, y salía por el pasillo, me crucé con Gastón y los amigos. Siempre me cayó mal ese pibe, siempre. Pero el otro día habíamos estado con ellos en el boliche. En realidad, él estuvo charlando con Rosario. Porque le gusta, seguro que le gusta. Aunque Rosario charló un poco y listo y después se fue a bailar con otro chico que había conocido el sábado anterior. Bueno, me lo crucé con los otros dos que están siempre con él. Lo saludé. Nada de beso. Solo "Hola". Y él, sonriendo, me dice: "Hola, vaca".

"Vaca." Pasé por delante de ellos mientras sentía que el corazón me latía a mil. Y bajé las escaleras. Y me gritó: "Rafaela, aflojá con los postres". Y en mi desesperación por desaparecer rodé por toda la segunda parte de la escalera mientras los escuchaba reírse en el descanso, a carcajadas. Ni miré para atrás, quedé de rodillas en el piso. Con todo el cuerpo doliéndome. Habrán pasado segundos hasta que me empecé a levantar. Y de golpe siento una mano apoyada en mi hombro.

—¿Estás bien? —me preguntó el amigo del imbécil. O sea, otro imbécil. A mí ya se me estaban cayendo las lágrimas. No le contesté porque pensé que me estaba tomando el pelo. Lo miré. Me acuerdo de que era el morocho. Lo miré y me fui. Y cuando me fui, los otros dos se seguían riendo. Y me vine medio corriendo, medio caminando. Llorando. Por eso, mejor que no estén ni Aitana, ni mamá. Y justo Tina hoy no viene. Por suerte. Porque ahora tengo los ojos todos colorados. Y cuando lloro se me hincha la cara. Y todos se dan cuenta.

Y me siento como el culo. Además, volví a perder el aro. El izquierdo. Y tengo las rodillas raspadas. Y me van a salir moretones por todos lados. Y me duele todo, todo.

A veces me encantaría ser flaca y hacerles callar la boca a todos. Que los estúpidos que se burlan quedaran helados, ahí, mirándome. Porque todo el mundo piensa que si adelgazara un poco sería muy linda. Yo también lo sé. Digo, no sé si muy linda. Pero linda, sí. Me podría poner la ropa que se ponen todas. Qué sé yo, pollera. Vestidos. Un montón de cosas. Malla, por ejemplo.

Es un imbécil ese Gastón, ¿qué me tiene que venir a agredir, si yo nunca le hice nada? ¿No tiene mejor cosa que hacer? No es de mi curso. En realidad nunca en el colegio me pasó algo así. En la calle, más. Por eso me parece raro, si ni me conoce. Por ahí de bronca nomás, que Rosario no le dio ni bolilla. Y ahora menos que menos. Porque seguramente es a la única que le voy a contar lo que pasó.

Y si todavía estamos planeando la venganza contra los del boliche, ni me imagino las cosas que le pueden ocurrir a Gastón por esto. La verdad es que a veces me dan unas ganas impresionantes de romperle la cara a trompadas a más de uno.

Si ayer me dolía todo, nadie puede imaginarse lo que me duele hoy. Fui al colegio por la prueba de lengua solamente. Ni me quería cruzar con el estúpido por ningún lado. Estuve con las chicas para acá y para allá. Seré cobarde, puede ser, pero hoy no lo hubiera podido enfrentar. Les conté a las chicas. Se indignaron. Y Tania y Wanda le dijeron de todo a Rosario por haber estado hablando con él, el otro día, sabiendo cómo es. A Rosario ni se le movió un pelo por lo que le dijeron. Eso sí, le brillaban los ojos cuando terminé de hablar. Y eso, conociéndola, puede ser peligroso. La cuestión es que en la última hora, cuando volvimos del recreo me encontré un paquetito en el banco. Lo abrí y en el papel apareció mi aro, el izquierdo. El papel decía solamente: "Me parece que es tuyo, estaba en el suelo cuando te fuiste corriendo. Espero que estés bien. Simón".

El amigo morocho de Gastón me había escrito una notita para darme el aro. Ahí sí, estuve segura de que me estaban tomando por idiota. Primero me gritaban cualquier cosa y después me daban el aro con una cartita. Y me indigné. Suerte que ya había entrado la profesora. De todas formas estaba segura de que me estaban gastando. "Hacete el dulce con la gorda", debía de haber dicho Gastón. Sí, los amigos eran igual que él. Nadie anda de amigo con gente que piensa muy diferente. Apenas terminó la clase, dejé las cosas en el banco y me fui para el curso de al lado. El profesor seguía con la explicación de vaya a saber uno qué cantidad de cosas. Mis compañeros iban saliendo. Pasaron las chicas. Les pedí que me esperaran abajo, que ya iba. Les dio curiosidad y se quedaron cerca de la escalera. Cuando el profesor salió, entré. Todos hablaban, juntaban las cosas. Lo busqué entre el lío al morocho. Estaba en el último banco, parado, armando la mochila. Al lado descubrí que es como dos cabezas más alto que yo. Pero ya no podía salir. Ni me acuerdo de lo que le dije porque le grité. Algo así como: "¿No tenés nada mejor que hacer que molestar, vos? ¿Nada mejor que hacer que andar agrediendo? ¿Qué te pensás, que soy una estúpida? ¿Qué? ¿Soy cualquier cosa, que se pueden andar riendo?". Le dije de todo y le tiré la nota y me fui. Y lo último que me acuerdo es de la cara del pibe con los ojos grandes mirándome como si estuviera loca. Y sí, loca estaba. Pero ahora me pregunto si no me habrá dejado la cartita de buena onda. A lo mejor un poco de sensibilidad tiene. Tampoco es tan gracioso ver rodar a una persona por todos los escalones de la segunda parte de la escalera. Tania, Wanda y Rosario me dijeron que enloquecí, que por qué no le había gritado a Gastón. Que no todas las personas son iguales. Y que lo hice quedar como un tonto delante de los compañeros.

No sé qué pensar. El aro izquierdo me lo quedé. Lo tengo puesto. Y bueno, si lo hizo de onda, lo lamento. Lo que más pena me da es que es una de las primeras veces que alguien del otro curso me ubica. Y en dos días, por lo que pasó, es la primera vez que tengo tanto contacto con chicos.

Hoy, decididamente no fui al colegio. A mamá le dije que no me sentía bien, que estaba indispuesta y me dolían los ovarios. No dijo nada porque cada vez que ella se indispone está tirada en el sillón del living, con una bolsa de agua caliente sobre la panza como una hora y pico. Siempre, cada mes, la misma escena. Me preguntó si quería la bolsa. Le dije que no. De hecho ni siquiera estoy indispuesta pero no le conté a ninguna de las dos lo que pasó en el colegio. Y hoy, después de lo de ayer, después de revolearle el papel al amigo de Gastón, no quiero ni pisar el colegio. Es viernes. En el fin de semana espero que todos se olviden de lo que pasó. Y se me curen un poco las rodillas. Y se me aclaren los moretones que me han quedado. Hermosa estoy, divina.

Aitana pasó por mi habitación, asomó la nariz:

—¿Qué te pasa, nena?

—Nada —le dije.

—A la noche hablamos —me dijo sin convencerse demasiado—. Ya sé que no estás indispuesta —acotó.

Esperé simplemente que no se lo contara a mamá en el trayecto que tenían juntas hasta la facultad de Aitana. Y me quedé en la cama. Estaba lloviendo. Sigue lloviendo en este momento.

Me quedé leyendo y toqué el violín. Y lloré un poco. A las 11 y pico llegó Tina. Me mimó bastante. Con Tina me llevo genial. Tiene un montón de hijos pero sé que me siente como una más. A ella le conté de la caída; lo otro no, porque es capaz de correr a clavarle la cuchilla de la cocina en la garganta al que me haga mal. A falta de padre, buenas son las Tinas.

Al mediodía pasó Rosario. Las chicas tenían que preparar un examen de inglés. Tania y Wanda van a la tarde al mismo lugar.

Rosario me dijo que no podía ser que me metiera para adentro, que sí, que me entendía pero que el lunes, si no iba al colegio, me venía a buscar a casa de los pelos. Eso fue lo primero que me dijo. Lo segundo me lo dijo riéndose. Estábamos esperando que Tina terminara la comida sentadas en el sillón del living. Yo, en pijama y pantuflas (estos datos son más que importantes para que quede claro el grado de desgracia que atravieso en este momento).

—Hoy en el último recreo *(las cosas importantes parecen pasar cerca de la salida, antes estamos muy dormidos)* vino Simón a hablar conmigo.

—¿Para qué...?

—Escuchá —me dijo Rosario y continuó—. Vino al curso, preguntó por mí. Se acercó y me dijo que se llamaba Simón y que quería saber cómo estabas de tu caída y por qué lo habías tratado así ayer.

—¿Qué? ¿Y para qué fue?

—Para preguntar por vos...

—Me siguen gastando.

—Rafaela, te juro que no. Estaba súper serio. Parece re serio. Sí, ¿viste que el otro día cuando fuimos a bailar ni habló? No creo que te esté gastando. Me parece que si alguien se cae por la escalera, yo también me preocuparía.

O sea que el tal Simón preguntó por mí. Rosario le dijo que estaba bien, pero que por lo del día anterior hablara conmigo el lunes. Yo no pienso hablar, ¿qué le voy a decir? Si fue con buena intención, le digo"gracias" y listo.

Mamá llamó a la tarde para preguntarme cómo estaba y si necesitaba que comprara comida porque a la noche tenía el cumpleaños de Ornella, ex compañera de su facultad, una de las chicas, de las divorciadas. Que no comprara nada, le dije. Y que estaba bien. Tina me trajo del supermercado unas chocolinas, dulce de leche, queso blanco, para hacer una torta de chocolinas para la noche. Y eso hice. Seguro que mañana el jean no me entra pero de todas formas no lo pienso usar. Seguro que mamá protesta porque comí torta de chocolinas, pero algo bueno hoy me tiene que pasar.

Aitana llegó como a las 7 y dele preguntarme todo el tiempo qué me pasaba. Que no es tonta, que me conoce, que aunque no hablemos mucho, me veía rara. Le conté lo de Gastón y lo de Simón. Se puso como loca. Ya dije que cuando se enoja tiene esa mirada que lastima. Seguro que por eso Simón fue a hablar con Rosario porque mi mirada lo taladró. En eso somos muy parecidas. Y después de decir de todo del imbécil de Gastón, se enojó conmigo porque no entendí que el gesto de Simón fue bueno, sincero. Que se guarde la sinceridad, él también se rió cuando el imbécil me dijo "vaca".

Me preguntó si quería empezar una dieta. Me paró delante del espejo junto a ella. Craso error. Sola me veo bastante bien. Con Aitana compruebo que soy el doble. Le dije que no quería dieta, que me parecía una estupidez no poder comer cosas ricas. Me dieron ganas de llorar y me metí en la pieza tras un portazo. Aitana gritaba del otro lado de la puerta. Tina avisaba que se iba. Y llegó mamá. Como habíamos pactado no comentar nada delante de ella, bajamos. Yo me tragué las lágrimas, la comida, la bronca.

Mamá venía con un humor de perros. Se le había quedado el auto en la autopista. La remolcaron, no sé qué historia extraña. La cuestión era que se tenía que apurar para llegar relativamente temprano al cumpleaños y tenía que ir en remís, que es un garrón, según ella. Ya dije que cuando mamá no está de humor, no hace sentir muy bien a los demás. Ni cuando está de buen humor, ni cuando está de mal humor, ni cuando no está. Abrió la heladera y al ver mi torta me miró y me dijo: "Rafaela, te vas a poner hecha un tanque". La congelé con la mirada y me di vuelta. Me metí en la pieza hasta que se fue.

Mientras subía la escalera, la escuché a Aitana decirle a mamá que no podía ser tan bestia en decirme algo así. Aitana sabía que yo estaba muy susceptible con el tema. De todas formas no es cosa para que te diga tu mamá. Minerva ladraba por los gritos. Y rogué que le llenara de pelos y de otras cosas el sillón a mamá.

Aitana se fue a una reunión con los chicos del secundario. Pero antes me pasó un papel por debajo de la puerta. Es raro que Aitana se fije tanto en mí, no sé por qué siento que hoy se dio cuenta de que ya no soy tan chiquita. Me dijo que le parezco la hermana más linda. Claro, si no tiene otra.

Se fueron, estoy terminando de escribir para ir a cenar. Si no hay nada para ver en la tele, me pondré a escuchar la radio. Si no, entraré en Internet a buscar cosas. Nadie me escribe mails pese a que tengo dirección de correo. A veces, Rosario, que es la única que tiene Internet en la casa. La única no, también Tania pero odia las máquinas.

Estaba pensando en qué estará haciendo Simón a esta hora. Si estará con el imbécil. Si estará en su casa. ¿Tendrá hermanos y papá y mamá? ¿Lo habrá hecho en serio lo del aro y la cartita o fue una joda? No importa, igual jamás lo voy a saber.

Y tampoco sé por qué tengo que estar pensando y escribiendo de eso.

Hoy a la tarde me llamó Rosario al celular de mamá. Habíamos ido al club a almorzar con los abuelos. Me llamó para decirme que había estado en el boliche con Gastón y los chicos. Que estaba Simón, y que habló con Gastón y lo dejó del tamaño de una hormiga. Que le dijo de todo y delante de los amigos. Y que Rosario te diga de todo es algo humillante para cualquiera. Le dije a Rosario que se había re desubicado, que no soy una nena. Pero, en el fondo, me gustó que me defendiera. Me imaginé la cara de Gastón mirándola desencajado. Me dijo que la pasó bien, que volvió a bailar con el chico de la otra vez. Que casualmente no es más grande sino más chico, un año menos. Rosario tiene 17; él, 16.

Yo ni quería ir al club, todo bien con los abuelos, pero estoy casi sin hablarme con mamá desde ayer. Solo me dijo esta mañana: "Rafaela, ¿no tenés otra cosa que ese jean y las zapatillas para ir al club, no?". Ni esperó que le contestara. Y ni le contesté. El almuerzo estuvo silencioso. La abuela se dio cuenta de todo. Y no dijo nada. Aitana estaba medio dormida, el abuelo charló más con los conocidos que con la familia, y mamá se hacía la interesante. Siempre pienso que se hace la espléndida para conseguir clientes para el estudio, y novio. Para sepultar eterna y definitivamente el vacío que dejó papá cuando se fue. Yo apenas abrí la boca. Todavía tenía la excusa del dolor de ovarios.

Cuando subimos al auto del abuelo, la abuela me dijo que después me llamaba para charlar. La vuelta fue más silenciosa que la ida. Mamá llegó a casa, y solo dijo que se iba al cine esa noche. Aitana me miró de reojo y me dijo: "Esta mujer no para, se ha vuelto una adolescente". Y ella tampoco paró. Se fue a bailar con las chicas de la facu. Y otra vez con la casa para mí. Me quedó un poquito de torta de chocolinas pero no me pienso hacer nada más. Tampoco comer como una bestia.

Hoy estoy triste. Las chicas: Rosario, Tania y Wanda iban a bailar a la noche. Me llamaron. Ni ganas que tenía de ir. Me veo horrible. Sí, al fin y al cabo tengo que felicitar a Gastón. No por la forma de decirlo, pero es el único que dice la verdad, que estoy horrible. Parecerá muy frívolo y no me importa, pero me estoy dando cuenta de que no hay beneficios en este mundo para las mujeres de caderas anchas.

No había nada bueno para ver en la tele. Encendí la radio y la computadora. Hacía varios días que no revisaba el correo. Mientras esperaba que se conectara al servidor, me fui a buscar el pedazo de torta de chocolinas que había quedado y me serví un café. Minerva dormía al lado de la mesa de la computadora. Cuando volví, dejé las cosas en la mesa y descubrí que había dos mails nuevos. Uno, asunto "Disculpá si te molestó" y era de Rosario, y el otro, sin asunto, de Simón. Para rafaela_85@tecla.net, de parte de simonoliveira@calia.com.

Me quedé dura y un pedazo de torta se me atoró en la garganta. Abrí el de Rosario que decía textual:

"Rafita, perdoname si te molesta que le haya pasado tu dirección pero él quería hablar con vos. Besos. Rosario."

Para colmo, "Rafita". Lo hace a propósito, sabe que detesto que me diga "Rafita", parece propio de un capo de la mafia.

O sea que ella le había pasado mi dirección al amigo del imbécil.

Abrí el de Simón:

"Rafaela, por lo menos así no vas a insultarme. ¿Puedo saber cómo estás y por qué me trataste así? Simón (el que te dejó el aro con el papel)."

Como si conociera 800.000 Simones. Imprimí el mail y me lo quedé mirando como 10 minutos preguntándome qué hacía en mi computadora. Claramente se leía "rafaela_85" y esa soy yo. Estaba escrito a las 9.45 de la noche. Miré el reloj, 10.45. ¿Qué estaría haciendo en ese momento Simón?

Seguramente se habría ido a bailar con el estúpido. Al final junté coraje y después de decenas de tentativas (reales, probaba poner con una letra y luego otra, con tal o cual palabra) le contesté:

"Simón, antes que nada, gracias. No es agradable rodar por la escalera cuando te están mirando varias personas que acaban de reírse de vos. Vos te reíste. Después me das el aro. No entendía nada, por eso te insulté. Rafaela."

Lo mandé. Y ahora me arrepiento. Fui demasiado sincera y ahora me siento vulnerable, siempre me pasa lo mismo. Además, ni lo conozco al chico y ni sé, de verdad no lo sé, si no me está tomando el pelo. Pero es sábado a la noche. Todos se divierten: mamá, Aitana, Rosario, Tania y Wanda. Hasta los abuelos deben de haber ido al cine o se habrán juntado a jugar a las cartas con los vecinos del 7º "C". Todo el mundo con todo el mundo menos yo. Sí, con Minerva, que duerme. Me animé un segundo a mandar el mail porque pensé: "total qué tiene, si ni le veo la cara". Pero luego de apretar "enviar" y ver que el mail volaba por el ciberespacio comprendo que ahora no le veo la cara pero el lunes, martes, miércoles, jueves y viernes de la próxima semana y de las sucesivas semanas que falten hasta que me reciba, voy a tener que verlo. Ahora me siento peor. Seguro que me está tomando el pelo. Para colmo las chicas están bailando y no las puedo llamar para contarles y en este momento necesito charlar con alguien. Ya, necesito que alguien me haga compañía un rato. Alguien que no sea Minerva. Estoy más que ansiosa. No hay nada rico para comer en la heladera. Me voy a ir a dormir aunque no pueda.

Anoche me acosté y estuve como media hora dando vueltas para un lado y para el otro. Y cuando estaba a punto de dormirme, llegó Aitana. Me sorprendió que llegara tan temprano y me asusté.

—Rafi, ¿dónde estás?—gritó desde el living.

Bajé en pijama y pantuflas.

—Vine porque te vi triste y prefería estar con vos que ir a bailar. Compré helado en el camino —me dijo mientras dejaba el pote sobre la mesa de la cocina, se sacaba la campera y buscaba las cucharas.

—¿Compraste dulce de leche granizado?

—Sí, y almendrado, ¿qué... te pensás que no te conozco?

El helado estaba bárbaro. Nos sentamos a la mesa de la cocina y comimos del pote nomás, cosa que mamá detesta profundamente.

—Yo no estoy mal.

—Sí, nena, qué no. ¿Qué te pensás, que no me doy cuenta? Ya sé que si querés hacer la dieta, helado no te tengo que traer pero cualquier cosa empezamos el lunes.

—Ya te dije que dieta no voy a hacer.

—Bueno, como quieras, tampoco estás hecha una vaca como te dijo el estúpido ese.

—Ya sé.

—Aparte sos re linda.

Como me da vergüenza que me diga esas cosas le cambié de tema y le conté que me había escrito Simón.

Corrió a leer el mail mientras me decía que tenía razón ella, que el chico tenía la mejor onda, que yo me había re zarpado con todo lo que dije.

Le encantó el mail. Leyó el que yo le había mandado y me dijo que le parecía bárbaro que me hubiese animado. Confieso que me quedé más tranquila.

Después nos volvimos a la mesa a terminar el helado. Es nuestra comida preferida y juntas podemos bajarnos un kilo fácilmente. No pensé ni en el jean que menos me iba a entrar ahora, ni en nada.

La verdad es que estuvo muy bueno porque nunca tenemos charlas así. Y porque me encantó que viniera más temprano para estar conmigo.

Después miramos la tele y, como mamá ni llegaba, a las 3 y pico nos fuimos a dormir.

Me quedé desde ayer pensando en qué cine uno está viendo películas hasta tan tarde.

Hoy me despertó Rosario. Esa chica no duerme nada. Se levanta a las nueve aunque haya ido a bailar hasta las 7. Me llamó a las 11. Quería saber si Simón me había escrito y si estaba enojada, porque le había dado mi dirección. Le conté todo y me preguntó si no me había contestado. Le expliqué que ella acababa de sacarme de la cama, con lo cual ni había leído el diario ni había desayunado. Dijo que me llamaba después de comer para preguntarme.

Esto de Simón se ha transformado en tema del día. No puedo entender por qué. Igual, aunque me hiciera la desinteresada, me moría de ganas de saber qué había contestado el chico, si es que había contestado.

Bajé corriendo las escaleras, casi ruedo nuevamente. Encendí la computadora. Y mientras tanto puse la pava para el mate. Mamá ya se había ido de nuevo. Había dejado una nota: "Chicas, me fui al club. Juego al tenis al mediodía. Hay plata para la comida en el cajón de mi habitación. Besos, Nadine". No entiendo qué manía tiene de meter su nombre en todos lados. Cualquier madre normal pondría "mamá" en la firma. Sí, ya sé, cualquier hija normal no se llevaría tan mal con su mamá. Además puso "Chicas", no vaya a ser que ponga "Rafaela y Aitana" y eso equivalga a amigarse conmigo, o yo suponga un acercamiento.

Entré a Internet. Había mensaje.

De simonoliveira@calia.com para rafaela_85@tecla.net:

"Rafaela, no me reí de vos. Y me dio mucha impresión que te cayeras. Y el aro era lindo como para que lo perdieras. Ya sé que fue horrible lo del otro día. Sé que como no me conocés, podés pensar cualquier cosa de mí pero para que sepas, aunque Gastón sea mi amigo, me pareció un desubicado por hacer eso. Igual todavía no sé si me creés. Viste, es raro pero nunca nos habíamos hablado *(si supiera que nunca me hablo con nadie)* aunque desde jardín vamos a la misma escuela. Yo me acuerdo de vos de un acto de la primaria cuando tocaste el violín. Bueno, espero que ya no estés enojada. Simón."

¡Del acto de segundo grado se acordaba! Yo ya ni me acuerdo de por qué toqué el violín. Mamá debe haberlo pregonado y no me quedó otra. De ese acto me acuerdo solamente de que le pedía a papá que desde donde estuviera me diera fuerzas para no hacer un papelón. Ni me acuerdo de cómo salió. ¿Y él, cómo se acordaba de eso? Yo a él no lo tengo registrado en mis recuerdos. A la mayoría, pero él pasa inadvertido. Miré la hora. Lo había escrito a las 11.15 de la noche. O sea, que un ratito después de que yo mandara el mío. O sea, que a la noche estábamos cada uno en su casa, él no había salido con el imbécil o el imbécil estaba con él y me estaban gastando.

Traté de no pensar en eso. Tampoco ser tan perseguida, como si todo el mundo se confabulara en mi contra.

Me tomé unos mates mientras pensaba qué ponerle. Es re complicado escribirle un mail a una persona que no conocés. De la que solo sabés que es morocho y dos cabezas más alto que vos.

Empecé y dejé como cinco veces.

> "Simón, no estoy enojada. Así que te acordás del acto, yo casi ni me acordaba. Sí, estaba tocando el violín. Sí, es raro que no hayamos hablado pero no tanto, yo no hablo con casi nadie. Estoy bien. Rafaela."

Lo mandé y me odié. Qué es eso de contar que no hablo con nadie. Va a pensar que soy una antisocial. Soy una antisocial en algún punto. Pero no es para andar contándolo a los cuatro vientos. Ya no le voy a volver a escribir. Porque digo cosas que no quiero y no sé por qué le cuento cosas que me importan. Si no lo conozco. ¿Y por qué me escribe él a mí? ¿Y por qué se acuerda del acto? No le voy a escribir más. A ver si todavía me están gastando y caigo como un caballo. Realmente me siento vulnerable. Pero de verdad.

Nunca le di un beso a nadie. En la boca. Digamos que no es muy normal llegar a los 16 sin haberle dado un beso a ningún chico. Siempre me pregunto cómo será. Tania, que fue la primera, me dijo: "Húmedo". Y, más bien. Pero nada más. Y me da intriga. ¿Cómo irá la nariz? ¿Cómo se ponen los labios? Ver besos, vi millones. En las películas, en la realidad. A lo mejor hasta llegué a presenciar, obra de un milagro divino, algún beso entre mamá y papá. Pero no es lo mismo que darlo.

Todo esto porque hoy domingo a la tarde nos juntamos en lo de Tania a tomar mate. Los papás habían salido y nos quedamos en la cocina que es chiquita pero me encanta. Tiene banquetas de madera. Las cuatro, con Girasol, la gata, que era gato y ahora es gata. Bueno, la gata. La tuve a upa todo el tiempo y eso me costó ladridos y olfateos desconfiados de Minerva cuando llegué.

La cuestión es que estuvimos hablando de hombres. Como siempre. Hombres es una forma de decir porque a esta altura los chicos de nuestra edad todavía no tienen un pelo de hombres. Dicen que las mujeres maduramos más rápido y estoy de acuerdo. Bueno, y en la charla surgieron esas cosas. Los besos y esas cosas. Todas menos yo, y Girasol tal vez tampoco, y la hermanita de Tania que tiene 6 meses.

Todas menos yo dieron un beso, y unos cuantos también. O sea, que soy la única inexperta que más teoría acarrea del grupo. Rosario fue la primera, en salita de 4. De una precocidad impresionante la chica. Con un chico que ahora no va más al colegio se dio un pico (odio esa palabra, me parece desagradable pero no sé cómo nombrarlo) debajo del tobogán. Tania de grande fue la segunda, a los 14 creo. Y Wanda, a los 15. Por lógica correlatividad, debería seguir yo a los 16 pero por ahora no pasa nada.

Me han gustado chicos, muchos. El último, el hijo de Tina. Sí, que teniendo en cuenta lo que Tina me quiere vendría a ser como un hermano pero que, la verdad, es muy lindo como para serlo. Se llama Juan Sebastián además, como para que no me guste con semejante nombre. Vino a casa hace como tres meses a arreglar el patio, a ponerle unas baldosas nuevas. Estuvo al final viniendo dos o tres veces por semana como un mes entero y arregló un montón de cosas de la casa. Y como siempre estoy, yo lo atendía. Le cebaba mate y le daba agua. Es más grande que yo. Tiene 20. Es un poco más alto y es castaño. Lo que me gustó es que tiene cara de hombre. Esas caras me fascinan. Y es gracioso y se ríe parecido a Aitana y a mí. Tiene una risa contagiosa y de andar riéndome con él me terminó gustando. Es una historia un poco trágica. Porque el último día que estuvo, Tina me dijo, como al pasar, que la noche anterior Juan Sebastián le había contado que tenía novia. Ahora lo cuento tranquila. Pero me agarró una crisis de llanto. De verdad. Ni sabía que tenía novia. Y ese día, el último que estuvo, ni bolilla que le di. Dije que tenía que estudiar y me metí en la pieza. Ni a saludar salí. Juan Sebastián debe pensar que soy una trastornada. Tiene razón. Pero yo estaba casi enamorada. Lloré un montón. Después me calmé cuando me di cuenta de que no voy a fijarme en hombres comprometidos. Ni en hijos de Tina que al final son como un poco hermanos. Tina ni se enteró. Por suerte. No podría volver a mirarla a la cara. No sé si fue que tan enamorada no estaba o el enterarme de que ya estaba ocupado, pero al mes nomás me moría de risa de la historia trágica. Las chicas todavía me gastan. Todo esto para reafirmar que nunca besé y que los hombres, los chicos y yo no tenemos relación alguna. A veces fantaseo con que me quedo sola, no sé si porque lo prefiero o para no andar sufriendo.

No voy a revisar los mails porque ya me he propuesto no escribirme más con Simón. Las chicas me dijeron de todo. No me importa. Yo soy la que después me siento toda vulnerable, no ellas.

Bueno, me fijé. Pasa que no me aguanté. Quería ver si Simón me había contestado el mail que le mandé hoy a la mañana. No había nada. Fui hace un ratito, antes de subir a dormir. Y nada. Cada vez estoy más segura de que fue todo una broma de él y de Gastón, y las chicas y Aitana me dijeron que no, porque a ellas cosas así no les pasan. Digo, no me quiero hacer la víctima, no es la idea, pero estoy segura de que a ellas cuando van a bailar nadie les dice nada. Nunca. Menos, a Aitana y a Rosario. Ya sé que hace unos días que estoy con una especie de malhumor pero mañana tengo que ir al colegio y ganas no tengo. Al final, con mamá más o menos bien. Hoy después de la cena como que me pidió perdón. Lo que me dijo no me lo olvido, no de resentida, nada que ver. Pero me dolió. Me gustó que se acercara, al fin y al cabo es mi mamá. Me dolió porque al menos en casa quiero un poco de paz. Si tengo que ir al colegio y me tengo que aguantar a este imbécil que me dice vaca y para que no me diga vaca tengo que romperle la cara o algo parecido (cosa que no me interesa, ir por la vida rompiéndole la cara al que me insulta) digo, en casa, al menos, podría mi mamá —que es una diosa, flaca, linda, joven— cerrar la boca que como abogada bastante la debe usar. Intuyo que mamá y yo jamás vamos a llevarnos bien.

Fui al colegio. Es tarde ya, estoy esperando que llegue la familia. Me acabo de bañar y tengo a Minerva al lado, rascándose una oreja. Tuve francés hoy. Sí, voy a francés. La mamá de papá, léase mi abuela, era francesa y aunque no la conocí, siempre me sentí atraída por ella. Bueno, no sé ni para qué cuento esto.

Todo volvió a la normalidad en el colegio. Volví a ser un fantasma. No entiendo cómo siendo tan abundante paso tan inadvertida. Me quedé toda la mañana en el aula. Cuando salía, lo vi a Simón, que me vio. Yo me hice la tonta y no lo saludé porque soy cobarde e inmadura. Porque por más cortos que hayan sido los mails que nos mandamos, nos escribimos durante el fin de semana y aunque piense, con mi parte persecuta, que me está gastando, podría haberlo saludado. Simplemente: "Hola". Pero me pasó lo de siempre. Miro el piso y camino más rápido. Estoy convencida de que de tanto querer pasar inadvertida, lo he logrado. He logrado, con mi postura y mi actitud, que nadie se dé cuenta de que paso. Y el día que quiera que me vean, voy a estar prácticamente invisible.

O sea, el chico debe ya pensar igual que Juan Sebastián, el hijo de Tina. Que estoy trastornada. Me manda el aro, le grito. Después me escribe, le escribo y no lo saludo cuando lo veo. Como histérica estoy perfecta, pero no soy una histérica.

Redondeando, digamos, a mi manera, que en vez de evolucionar estoy involucionando, lo que puede resultar muy peligroso. ¡Ah!, a Rosario la llamó el chico de 16, ayer. Ella dice que es muy chico y me da risa. Está re enganchada y no lo puede aceptar.

Bueno, parece que mamá llegó. Oigo el portón del garaje. Por suerte le dieron el auto porque, si no, esa era ya una causa más de protesta asegurada.

Abrí el correo recién. "Tiene correo electrónico nuevo." De simonoliveira@calia.com para rafaela_85@tecla.net:

> "Rafaela, hola. Me parece que hoy no me viste o no me quisiste ver. No importa. Sabés, mi abuelo toca el violín, tocaba, hasta que se murió su hija, mi mamá. Y no volvió a agarrarlo. Tal vez por eso me acuerdo de vos tocando el violín. Nunca había visto a nadie tan chiquito tocarlo. A esa edad el violín de mi abuelo era para mí algo sagrado. Algo de grandes. No sé por qué te cuento esto si ni te conozco, ¿no? Bueno, espero que estés bien. Al aro vi que lo tenías puesto. Simón."

Lo que me contó ya me aseguró que no me está gastando. Para nada.

Lo que le puse me salió de una y lo mandé de una. Soy una cobarde y es hora de hacerse cargo.

> "Simón, hola. Te vi. Pero soy un poco tímida y a tu curso no pienso entrar. Perdoná pero aunque sea tu amigo, Gastón no me cae muy bien que digamos.

Mi papá toca el violín. Cuando se fue de casa (porque desde los 5 que no lo veo) dejó el más viejo y yo empecé a tocar. A mí también me pasa de querer contarte cosas aunque no te conozco demasiado. Sé que sos morocho y me llevás como dos cabezas. Y lo que me contaste hasta ahora. Eso solo. Te cuento que estoy bien, un beso. Rafaela."

Genial el mail. Pero puse "un beso". Como si fuera a Rosario. Un beso. ¿Y tanta preocupación por una palabra? Pasa que hasta este momento ni un "con afecto", ni "con cariño". Bueno, tampoco es tan grave. Un beso, y sí, si mañana lo veo, lo voy a ir a saludar, con un beso. Bueno… por lo menos lo voy a ir a saludar, que ya va a ser mucha cosa.

Hoy lo saludé a Simón en la puerta del colegio. Llegué temprano. Me dejó mamá en la esquina de la rotisería. Bajé del auto. Y los vi, a los tres, Gastón, Simón y el amigo, el tercero que no sé cómo se llama. Sentados en la verja de la casa que está después de la rotisería. O sea, que para llegar al colegio tenía que pasar justo por delante de ellos cual modelo caminando por una pasarela. Me temblaban las piernas. El corazón me latía a mil. Lo único de lo que me acuerdo es que respiré hondo mientras me acercaba a la casa. Estaban fumando. Lo que más miedo me dio fue que el imbécil volviera a decirme algo y yo ¿qué iba a hacer?, ¿y Simón qué iba a hacer? Digo, supuestamente, si nos estamos escribiendo es que somos como amigos (aunque todavía no podamos ponerle ese rótulo a la relación), y él no va a permitir que el infeliz de su amigo otra vez me haga sentir mal. Aparte me había prometido saludar a Simón. Lo escribí acá mismo ayer. Y me lo acordé desde que me levanté y me cepillaba los dientes en el baño: "saludar a Simón, cueste lo que cueste, cueste lo que cueste". Junté coraje y enfilé hacia el morocho que estaba sentado en el medio y acerqué la cara a su mejilla y le dije: "¿Qué hacés, Simón, todo bien?".

La cara de Gastón parecía de dibujito animado. Se le cayó la mandíbula. A Simón también. Pero sobre todo me sorprendieron los ojos claros de Gastón, desorbitados. Se podría haber caído para atrás, haberse tragado el cigarrillo pero jamás me hubiese dicho nada porque se quedó mudo.

Simón reaccionó cuando yo ya empezaba a alejarme. "Todo bien, Rafaela, después nos vemos."

Como si nos conociéramos de toda la vida. Realmente ahora que lo pienso estoy segura de que piensa que estoy trastornada. Ayer no lo saludé con la mano y ahora, adelante del otro, voy y le doy un beso y me hago la espléndida.

Después no los vi más. Pero me imagino que Gastón lo habrá acribillado a preguntas a Simón. Y me pregunto todo el tiempo qué habrá contestado él. Primero porque gente como ellos generalmente no está con gente como yo, por más amiga de Rosario que yo sea. Son los más "conocidos" y yo vengo a ser bajo cero en popularidad. Y el otro día, ni me conocía Simón cuando su amigo me insultó. No sé por qué Simón me escribe y menos sé por qué me dejó el aro. Por qué me trata bien. O por qué me trata. De ciertas personas, aunque uno no las conozca, gente como yo siempre está esperando agresiones.

Estamos todos muy divididos, a pesar de tener la misma edad y compartir desde jardín el mismo colegio. Están los que todo el mundo conoce. Los insoportables que molestan a todo el mundo y se creen muy divertidos, muy piolas. Están esos a los que los anteriores gastan todo el día. Los que ni van ni vienen. Los que son queridos pero no son tan conocidos. Y están los que son como yo, los que en realidad no están.

Anoche me quedé como hasta la 1 esperando a ver si llegaba un mail de Simón pero nada. Y hoy tampoco. A lo mejor le cayó mal que lo saludara con un beso o que lo saludara delante de los chicos, porque seguramente lo van a gastar por hablar conmigo. No sé, pero nada de mail. Y hoy tampoco lo vi. A lo mejor lo asustaron los besos, uno que le mandé por mail, otro que le di al otro día. Qué sé yo.

A las chicas les encantó que lo saludara delante del imbécil. Detestan profundamente a Gastón y se lo merece. A Rosario la volvió a llamar el de 16, que se llama Pablo. Me parece divino por lo que me cuenta. Va al industrial, o sea, que se pasa todo el día en el colegio. Quedaron en verse este sábado en la matiné. Rosario ya me está insistiendo con que vaya. A lo mejor me animo y voy. Mis ocupaciones de sábado a la noche en casa pueden esperar. Me animo porque van todas. Las cuatro. Y porque me gusta escuchar música. La música que pasan me levanta el ánimo aunque me siente toda la noche a mirar pasar a la gente, a verlos bailar. Me divierte observarlos. Ver las actitudes de todos. Porque no me quedan dudas de que la gente cuando va a bailar se pone en pose. Siempre. Son tan distintos a las mismas personas de día.

No sé qué voy a ponerme, como siempre. El eterno problema de las mujeres de caderas anchas, que no es que disfrutemos en vestirnos siempre igual, sino que nunca encontramos ropa que nos entre. Nunca. Voy a comprarme ropa y no solo que me miran de arriba abajo con el clásico "para vos talle no hay", sino que además cuando hay algo que una se puede probar con la esperanza de que le entre, se mete en esos mini reductos detestables que son los probadores, con esos espejos y esas luces que, estoy segura, distorsionan el cuerpo. Siempre me veo horrible tratando de que me entre algo de lo que hay en el negocio. La última vez terminé llorando. Es que me angustia que ni siquiera haya ropa para nosotras. El colmo de la discriminación. Por suerte una de las amigas de Aitana cose como los dioses y con eso se está ganando unos pesos. Yo le pido a ella que me haga los pantalones o alguna camisita porque si no, no sé qué me pondría. Tampoco voy a ir a los negocios de señora porque esa no es ropa para mí aunque encuentre mi talle.

Todo esto para decir que seguro la llamo a Minie para que me haga una camisa con la tela verde que me compró mamá el otro día. Para eso es genial mamá. Tiene un gusto impecable para elegir ropa, o telas. Seguro que la llamo a Minie y me estreno una camisa. Con el pantalón negro calculo que voy a estar bien. Me encantaría poder ponerme un vestido. Y una pollera. Que no sea la del colegio.

Bueno, voy a dejar de escribir para llamar a Minie y comer. Parecerá ridículo pero extraño los mails de Simón. Extraño que aparezca el cartelito ese que dice: "Tiene correo electrónico nuevo". Como diría Aitana: "Él se lo pierde".

Minie me hizo una camisa genial. Rara. Es viernes y sigo sin tener noticias de Simón. Hoy en el colegio lo vi en el aula cuando me iba para casa, y me saludó chiquito con la mano para que el profesor no lo viera.

Son las 11.30, última hora en que revisé el mail y nada. Mamá se volvió a ir al cine, estoy empezando a desconfiar un poco de sus idas al cine. No sé por qué me parece que algo raro esconde.

Aitana está abajo con los compañeros de la facu. Vinieron a hacer un trabajo. Después pidieron unas pizzas y se alquilaron una peli. Yo me hice un sándwich y subí con Minerva a mi pieza para no molestar. Minerva se despatarró en la alfombra al lado de un par de osos de peluche que, en realidad, osos no son. Uno es un elefante y el otro una jirafa. Ahora me voy a ver la tele un rato. Me pasé la tele de la pieza de mamá para acá ya que ella salió y Aitana está abajo. Ya no voy a bajar más a ver si tengo mail porque estoy en pijama y pantuflas. Me siento un poco sola acá arriba con tanta gente abajo. Me gustaría salir y andar de acá para allá conociendo gente tanto como hace Aitana o un poco menos, pero mucho más que ahora.

Tuve que dejar de escribir porque Aitana me tocó la puerta. Me traía un pedazo de chocolate, de postre. Está rico. Bueno, mañana es mi primer día de salida en mucho tiempo. Ya estoy ansiosa.

¿Qué estará haciendo Simón? ¿Y por qué no me escribe? Rosario me dijo que seguro que ya escribe o que mañana lo veo posta cuando vamos a bailar, que ellos van siempre. No creo que si va a bailar, vaya a charlar conmigo, además jamás charlamos. No voy a llegar y decirle: "Qué haces, cómo estás" y de plena charla cuando hasta ahora puro mail, un beso y nada más. No sé. Ah, algo re importante que me olvidé de contar del otro día. Lo vi bien cuando lo saludé. Tiene los ojos oscuros. Grises. Ojos profundos. Tiene el cuerpo trabajado, tipo gimnasio. Y las manos grandes de dedos largos. Mucho más no vi. Con los nervios que tenía en ese momento, lo único que quería era pasar de una vez por todas.

Es domingo. Todavía mamá y Aitana duermen. Seguro que se acostaron más tarde que yo. Volví a la 1 y media y todavía no estaban. Al final me puse la camisa verde, el pantalón negro y Aitana, antes de irse, me pintó los ojos. Llegamos más tarde, cuando ya había empezado porque pasamos a buscar a todas. Y Tania a veces puede ser insoportable. Como 10 minutos nos tuvo esperando en el remís, muertas de frío. Para colmo, vivimos una en cada punta. Hacía como un mes que no iba a bailar. Obviamente nada había cambiado demasiado.

Fuimos a tomar algo. Una coca. Y de paso nos dimos una vuelta para ver quién estaba y quién no: subimos y cuando bajamos, compramos las gaseosas. Adentro hacía mucho calor. Dejamos las camperas en el guardarropa, cosa que detesto porque al final todo el mundo se mata para salir rápido y las chicas se amontonan, todas histéricas, para buscar cada una su campera.

Y después, otra vuelta. Y ahí lo vi a Gastón charlando con una chica. El otro amigo con otra y ni rastros de Simón. Ni los miré. En la escalera nos encontramos con Pablo, el de 16. La estaba buscando a Rosario. Divino ese chico, tiene una cara de buen tipo. O sea que Rosario se fue con él. Y nos quedamos las tres esperando que llegara el novio de

Tania. No sé si conté que está de novia hace un año con un amigo del primo. Fuimos para arriba, miramos para abajo. La típica ronda eterna. En el momento en que íbamos a bajar, lo vi a Simón bailando en el medio de la pista, del amontonamiento, con una morocha de pelo largo. Solo veía eso desde arriba. Ni idea de quién era la morocha. Bajamos y nos sentamos al lado del baño, desde donde teníamos la mejor panorámica para descubrir al novio de Tania por si llegaba, y para mirar. Que es una de las cosas que más se hace cuando se va a bailar.

La morocha era preciosa. Estaban al lado de los parlantes, a unos metros nomás, cerca de donde bailaban Rosario y Pablo, que no paraban de charlar. Simón y la morocha tampoco dejaron de charlar en todo el tiempo que estuve ahí sentada. Cuando llegó el novio de Tania, la sacaron a bailar a Wanda y yo me quedé sola. Sola, lo que se dice sola, no porque Wanda, para no dejarme ahí, se puso a bailar a mi lado. Igual, a mí no me molesta estar sentada y odio el: "¿No tenés un amigo para mi amiga?". Mientras bailaban, pude ver a Simón más de lo que lo vi en toda mi vida. Tiene cara de hombre. Tiene rasgos duros. Ojos rasgados. Y aunque no se crea, desde donde estaba y cuando la luz me lo permitía, descubrí que tiene una cicatriz que le atraviesa la ceja derecha. Grande, pero no es fea. Y la sonrisa enorme. Estaba re simpático con la morocha. Es muy caballero. Te das cuenta al toque que lo ves. Es serio. Tanto lo miré que me vio. Me sonrió y me saludó con la mano. Le devolví el saludo y la morocha se dio vuelta y me miró intrigada.

Cuando Wanda se cansó de bailar, nos fuimos a dar una vuelta y lo perdí de vista.

No sé ni dónde se habría metido, ni quién era la morocha. A lo mejor tiene novia. Por eso no me escribe. La novia se puso re celosa de que me escribiera a mí pero ayer, cuando me conoció, se quedó tranquila, seguro. Al final, ni bailé. Y en el remís escuché las historias de las chicas. Como siempre, yo no tenía nada para contar.

Recién llegué del club. Fuimos a comer con los abuelos. Y con el socio de mamá y la señora. Apenas entré a casa me fui a ver si había mails, esperando que nuevamente el cartelito dijera: "Ningún mensaje nuevo". Sin embargo, había un mail de simonoliveira@calia.com para rafaela_85@tecla.net:

"Rafaela, disculpá que no te escribí en estos días. Pasa que no sé qué lío hizo papá con la computadora y tuvimos que llevarla a arreglar y recién me la dieron ayer a la tarde. ¿Cómo la pasaste anoche? El otro día me sorprendiste cuando me saludaste. ¿Está bien que te lo diga? Sí, está bien que te lo diga. Gastón se quedó muy intrigado. Respecto a lo que me decías en tu mail el otro día sobre tu papá, es distinto, ya sé, pero mamá se murió en mi segundo grado. O sea, a menos que tengas padrastro estamos iguales. Digo, vos sin papá y yo sin mamá. Vivo con mi papá desde entonces. Y los abuelos, los papás de mamá, viven cerca. Bueno, me estoy delirando y no quiero aburrirte. Un beso, Simón."

¿Y quién era la chica con la que estaba bailando?

De eso nada. Me moría de ganas de preguntarle pero me contuve.

"Simón, la pasé bien ayer *(¿y la morocha?)*. ¿Vos? Yo también me sorprendí al ir a saludarte, más que nada porque estaba tu amigo. Lamento lo de tu mamá. Y sí, estamos iguales porque mamá nunca trajo ningún señor a casa. Vivo con ella y tengo una hermana, que se llama Aitana y tiene 20 años. Y una perra, Minerva. No me aburrís contándome tus cosas. Un beso, Rafaela."

Me quedé con las ganas de preguntarle sobre la morocha. Me las aguanté. Estoy contenta de que me haya escrito. Me había hecho cientos de películas en estos días. Entre esas no podía dejar de pensar en que me había tomado el pelo. Le puse que la pasé bien ayer para disimular que por momentos ahí sentada me aburrí bastante. Pero, bueno, ya está.

Me llamó Rosario hace un rato para decirme que Pablo la invitó al cine, no sabía qué hacer. Le dije que fuera. Me gusta ese chico para ella. Dijo que lo iba a pensar. Le conté de Simón. "Viste, Rafita, que te iba a escribir", me dijo.

Yo no estaba tan segura. Antes de ir a dormir voy a revisar el correo de nuevo, por las dudas.

No me podía dormir, son las 12.30 de la noche. Estoy ansiosa y no sé por qué. Bajé a la cocina. En la heladera había unos bombones que nos dio la abuela, me los comí todos y ahora me da bronca haber comido sin hambre. De paso miré el correo. Había otro mensaje de Simón.

> "Rafaela, anoche la pasé muy bien. Por suerte me encontré con una chica que quería ver hacía un montón de tiempo. ¿Viste la morocha que estaba conmigo? *(sí, la vi)* ¿Así que tenés una perra? Un día de estos me tenés que invitar a tu casa, así la conozco. No te preocupes que Gastón no va a volver a decirte nada. Es amigo mío desde que nací. Los papás de él eran amigos de mis viejos. A veces es muy insoportable pero no es mala persona. Ya sé que se zarpó con vos pero no va a volver a decir nada. Un beso, Simón."

Tanto me pregunté quién era la morocha que me terminé enterando. O sea que hace mucho que él quería verla. Cualquiera querría ver a una chica así. Ya sé que yo tengo lo mío pero, en apariencia, muy poco al lado de ella. ¿Y por qué me estoy comparando con la morocha?

Me parece que Rosario tiene razón, todo el tiempo me dice que estoy enganchada con Simón, y yo le digo que no es verdad. A mí no me voy a andar mintiendo. Ayer me di cuenta cuando lo vi bailando. Me dio una cosa impresionante. No sé por qué, porque ni lo conozco. Pero de verdad, lo vi y me quedé dura. Será que me imaginaba que era muy tímido y no esperaba verlo con una chica. Tímido me tendría que haber dado cuenta de que no es, porque si no, no me hubiera escrito el primer mail. Pero jamás hubiese esperado verlo así tan seguro y cómodo bailando con alguien. Esperaba eso de Gastón, de Rosario, de un montón de gente pero no de él. ¿Qué hago? ¿Le vuelvo a escribir? ¿No le escribo más?

La verdad es que me gusta. Me gustó que me ayudara cuando me caí y me gustó que me dejara el aro, que me escribiera. Él también me gusta. Tengo ganas de llorar. Muchas ganas de llorar. Ojalá pudiera desaparecer por unos días. Por unos meses. ¿Qué se va a fijar en mí al lado de esa morocha? Imposible. Tampoco me voy a quedar mirando para andar sufriendo. Que le escriba a la morocha si tiene tantas ganas de charlar con alguien. Obvio que ni le contesté.

Está todo mal en casa, bueno, no en casa sino en mí. Aitana me contó hoy, cuando llegó de la facu, que mamá tiene un novio. Así nomás. No es que esté mal que salga con señores si hace como 11 años que papá no está. Pero parece que este va en serio. Y eso jamás pasó. Nunca mamá nos presentó a un novio como novio, si presentó a alguno fue como amigo. Y parece que esto es distinto. Aitana me contó que el sábado, cuando yo me fui de casa, al rato la pasó a buscar un señor. Y eso jamás pasó antes, y se dieron un beso en la boca. Aitana vio todo desde la ventana de su pieza. Lo que me da bronca es que mamá le pida al señor que la pase a buscar y no nos diga antes a nosotras qué es lo que está pasando. Me parece que nos lo podría comentar. Fuera de todo esto, lo que más me preocupa no es tanto que no nos haya contado sino lo que venga después. Me da pánico que se venga un hombre a vivir a casa. Siempre tuve ese miedo. No es que esté deseando que mamá vuelva con papá. En un principio lo esperaba y mucho pero ahora sé que es imposible. Pero realmente imposible.

Sé que puede parecer muy egoísta. No me molesta que mamá tenga novio, pero no me gustaría que alguien viniera a vivir acá. La conozco a mamá y es capaz de traerlo a vivir sin darnos tiempo ni a hacernos a la idea.

Dice Aitana que es un hombre grande. Más grande que mamá. Le dije que esperemos a que mamá nos cuente qué es lo que pasa. Pero me dijo que ella le va a preguntar.

¿Por qué se habrá ido así papá? ¿No nos extraña? Yo era más chiquita pero con Aitana convivió muchísimo tiempo, ¿cómo no la extraña a ella, por lo menos?

Lo vi a Simón pero me hice la tonta, miré para otro lado y me vine rápido a casa. Estuve mal porque él no tiene la culpa de lo que a mí me pueda o no pasar con él. Y lo que me pase o no a mí es problema mío.

Ayer mamá nos contó que está saliendo con ese señor desde hace como seis meses, un montón de tiempo. Que está enamorada, nos dijo. Con Aitana nos miramos y nos dio ternura. Porque Nadine tenía la mirada húmeda. Nos contó que era un cliente de ella. Que siempre había tratado con el socio de este señor y cuando lo conoció a él, los dos se quedaron tildados. Se llama Leonardo. Tiene hijos, uno vive con él todavía, los otros son más grandes. Y dice mamá que se sienten muy bien así cada uno en su casa. Así que, por el momento, problema solucionado. Parece que ahora que sabemos, mamá va a organizar una cena para que lo conozcamos. No me molesta, al contrario. Si a mamá la pone contenta, mejor. Debo reconocer, pese a no llevarme bien con ella, lo difícil que ha sido todo desde que papá se fue. Y ahora que estoy más grande me doy cuenta de que es bueno que mamá esté acompañada por alguien que la quiera. No me gustaría que se quedara sola.

Fuera de estas noticias, que sin duda revolucionan mi casa, hoy pasó algo en el colegio. Bah, en realidad fuera del colegio. Me estaba yendo para casa, llegando a la rotisería de la esquina, cuando sentí una mano en el hombro. Me di vuelta y era Simón.

—Hola —me dijo.

—Hola —le dije.

—Quería saber qué te pasa que ni me saludás, ni me escribís.

—No pasa nada.

—¿Vas para tu casa?

—Sí.

—Te acompaño —me dijo.

Y me acompañó hasta acá. Enseguida nos pusimos a charlar. Al principio yo estaba nerviosa pero, como me pasa cuando le escribo, después me siento cómoda y hablamos de cosas que ni nos imaginábamos contarle a alguien. Mi casa no está muy lejos del colegio, a unas diez cuadras más o menos. Cuando llegamos, le dije que pasara para que conociera a Minerva que, apenas lo vio, le saltó encima. Se hicieron amigos al toque. Simón tiene un perro que se llama Mustafá. Le dije: "Pobre perro, que para mí ese es nombre de gato".

Estábamos solos, hoy Tina no venía. Mamá trabajando. Aitana en la facu. Cuando Simón dejó de jugar con Minerva nos miramos. Ahí parados en el medio del living, al lado del sillón. Nos quedamos mirando sin saber ni qué hacer, ni qué decir.

—Bueno, Rafaela, me voy a ir para casa —me dijo, y lo acompañé hasta la puerta. Le di las gracias porque me había acompañado y se fue caminando despacio.

Cerré la puerta. Me tiré en el sillón tratando de procesar algo que todavía no creo que haya pasado. Sí, Simón Oliveira estuvo parado en el living de casa, jugando con Minerva. Me acompañó a casa. Me escribe mails. Me gusta mucho. Y me da miedo. De la chica con la que estaba el otro día no dijo nada. No le pregunté aunque me moría de ganas. Cuando me pude parar, subí al baño y me miré al espejo. Me brillaban los ojos. Fuera de lo que me pasa con él, esta es la primera vez en mi vida que hablo tanto con un chico.

Hace un rato le escribí a Simón. Este es el mail que le mandé.

"Simón, gracias por acompañarme hoy a casa. No te preocupes que no voy a volver a dejar de saludarte, ni voy a dejar de escribirte. Sabés, es raro esto de estar escribiéndonos así. Me dan ganas de contarte cosas que no hablo con casi nadie. Mamá tiene novio. Te lo iba a decir hoy pero al final... bueno, pasa que todavía no me hago a la idea. No es que no me guste. Pero recién me enteré hace un par de días. Parece que lo vamos a conocer una noche de estas. Bueno, te dejo, un beso, Rafaela."

Tuve que dejar de escribir porque mamá nos llamó abajo para avisarnos que Leonardo nos invitó a comer afuera mañana a la noche. ¿Tan rápido? Sí, tan rápido. Si sonreímos un poco y le decimos a mamá que nos cayó bien, se casa en una semana.

En fin, veremos qué es lo que pasa con eso. No voy a poder escribir mucho hoy porque tengo que estudiar algunas cosas para mañana. Estoy sorprendida por lo que pasó con Simón. Nunca esperé que ante la ausencia de mis mails, él se preocupara en preguntarme qué había pasado que no le escribía. Estoy intrigada, muy intrigada por lo que Simón piense de mí. En muchos momentos me quedo pensando cómo me verá, qué pensará. O si él se preguntará cómo lo veo, qué pienso de él. Hoy, que lo tuve cerca, digo, mucho más cerca que nunca, lo miré bastante. Obvio, disimuladamente, cuando no hablaba. Me dijo que la cicatriz se la hizo hace un par de años jugando al fútbol. Es enorme, de alto y ancho. Yo me siento chica al lado de él. Tiene la voz suave, habla pausado. Eso me gusta. La mayoría de la gente de nuestra edad anda un tanto acelerada, me incluyo en la lista. Tal vez por eso pensé que era tímido, porque es muy tranquilo. Como "más allá" de un montón de cosas. Claro, es que ha sufrido mucho. Y parece más grande. Yo también sufrí mucho pero no tengo esa tranquilidad para darle el verdadero valor a cada cosa. Eso me pareció hoy. Tiene la sonrisa ancha. Y es muy agradable. Se nota que me gusta, ¿no? Estoy un tanto insoportable, lo sé. Pero me da una paz estar cerca de él...

Acabo de recibir mail de simonoliveira@calia.com:

"Rafaela, yo también la pasé muy bien con vos. Uno de estos días podemos sacar a pasear a Minerva y a Mustafá. Seguro que te va a gustar. Es un ovejero belga. No te preocupes por lo del novio de tu mamá. Va a estar todo bien cuando lo conozcas. Esperemos. Papá tuvo un par de novias desde que murió mamá pero nunca pasó a mayores, me refiero a que hayan querido ir a vivir juntos o casarse. Bueno, nos vemos, un beso, Simón."

¿Juntos a pasear con los perros? Me quedé helada con la propuesta. Enseguida, sin pensarlo demasiado le contesté:

"Simón, hoy es el día de fuego. Vamos a cenar con Aitana y mamá, con su novio y el hijo que aún vive con él, a un restaurante muy «espléndido». Después te cuento qué tal me fue. Respecto a lo de salir a pasear con los perros, ¿qué te parece mañana a la tarde después de almorzar? Un beso, Rafaela."

Me mandé de una como se verá. Ahora me pregunto si no habrá sido apresurado ya poner un día y todo. Rosario no va a poder creer toda esta situación. Ya ayer me dijo que le parecía muy loco lo que está pasando con Simón, que ella pensó que él solamente se quería disculpar por lo que había hecho su amigo. Y que a mí me había empezado a gustar (sigue insistiendo con que estoy muerta por él, yo sigo negándoselo). Pero jamás se imaginó que esto fuera a transformarse en una amistad o algo así. Rosario me dice que algo de mí a Simón le gusta mucho. Porque por algo tiene ganas de verme, me escribe, me acompaña. Cada vez que Rosario insinúa que a él le puede pasar algo conmigo, le recuerdo a la morocha del otro día. Rosario se pone como loca, me dice que tengo la autoestima por el piso, que cualquier chico puede enamorarse de mí. Y me enumera todas mis cualidades según su punto de vista, que teniendo en cuenta el grado de amistad que nos une no es muy objetivo que digamos. En ningún momento se me cruza por la cabeza que Simón guste de mí. No, tampoco sé por qué es que estamos como estamos, de mail para acá, mail para allá. Es todo una intriga.

Respuesta de Simón:

> "Rafaela, espero que te vaya bien esta noche. Mañana, apenas puedas, contame cómo te fue o pasá por el curso, o yo paso, pero no puedo reunirme. Tengo inglés después de comer. ¿El sábado a la tardecita te parece bien? Avisame si podés. Suerte, un beso, Simón."

Mamá me gritó hasta cansarse que es odioso de mi parte vivir en pantalones. No me quedó otra que gritarle que estas piernas no permiten usar pollera. Y la remató diciéndome que para eso adelgace de una vez y listo. Como si fuera tan fácil. A mí no me parece mal ir a la cena con la ropa con la que fui a bailar el otro día. Pero a ella no le hizo ninguna gracia. Semejante discusión entre nosotras no pudo más que terminar con mamá encerrándose en su habitación. Y yo tragándome las lágrimas, mirando la puerta cerrada y conjurando maleficios.

La cuestión es que otra cosa no tengo, a mí no me preocupa lo que piense o diga su novio. Aitana se puso un vestido y zapatos y se pintó. Ni la dejé que me pintara. A cara lavada y a otra cosa. Si mamá fuera más amable, conseguiría muchas más cosas de mí. A las 9.30 nos pasa a buscar el novio con el hijo.

Es la 1 de la mañana y todavía no puedo dormirme luego de la cena. Un espanto. Con Aitana opinamos por unanimidad que no vamos a vivir con ellos si es que deciden casarse. Nos vamos con los abuelos. Nos pasaron a buscar en un súper auto. El señor Leonardo, muy trajeado y su hijo Juan Cruz, también. A mí me había caído bien de antemano por el nombre. Siempre es malo, muy malo prejuzgar, en todos los casos. Subimos al auto, las presentaciones en ese momento fueron apresuradas y el señor nos llevó hasta un restaurante impresionante. Ahí nos sentamos los cinco a una mesa reservada por el novio en cuestión. Leonardo es un hombre bajo, delgado. Un poco pelado. Con una rigidez que asusta. Muy parecido a su hijo. En realidad su hijo es muy parecido a él pero en versión joven aunque con cara de viejo. Los dos soberbios y pedantes. Creídos hasta la punta del dedo gordo. Juan Cruz abría la boca solo para alabarse a sí mismo. Y para mostrarnos lo buen estudiante, lo buen hijo, lo trabajador que era. Que había hecho tal curso y tal otro. Insoportable. Y su padre, que por lo menos trataba con mucha cortesía a mamá, calco del hijo. Nos contaron de sus empresas. Y al saber lo que estudiaba Aitana ya la quisieron incluir en su personal. Yo, en secundario y con el deseo claro de tocar el violín me transformé en un ser inservible, inútil, que enseguida pasó a segundo plano. Desde el momento en que me ignoraron, todo fue más relajado para mí. Me dediqué a hacer mini sonrisas, un ajá, ejem, un mmm ante ciertos monólogos de padre e hijo y, mientras tanto, observé la mesa de al lado donde cenaba una pareja que me pareció de lo más romántica. Me hice una película propia de Hollywood y no escuché nada más en toda la noche.

Cuando nos dejaron en casa, con Aitana nos miramos y suspiramos tranquilas. Mamá estaba feliz. Feliz con su novio, con que lo hubiésemos conocido. Cuando le dijimos que nos parecía un tanto pedante, soberbio y egocéntrico se ofendió profundamente. Yo no me animé a decir ni mu, Aitana fue quien tomó la palabra. Yo ya la había ofendido demasiado a mamá con el mero hecho de llevar pantalones y tener las piernas gordas. Aitana, que es tan parecida a mamá en un montón de cosas, está cada vez más distinta. A ella le dieron la misma impresión Leonardo y su hijo. Cuando mamá se ofendió, nos metimos en mi pieza para charlar un rato. Aitana tampoco puede entender cómo quiere mamá salir con ese hombre. Las dos pensamos que la impresionó por lo seguro y avasallador. Cosa que papá no debía de ser en absoluto. Por la seguridad que le puede dar y no solo seguridad económica (que se la gana ella por sus medios). Porque por otra cosa no entendemos qué puede hacer con él. Por primera vez en mucho tiempo Aitana lo mencionó a papá. Estábamos tiradas en la cama y yo le hacía firuletes en el pelo cuando me dijo eso, de que el novio de mamá era todo lo contrario a lo que era papá. Le pregunté si se acordaba de cómo era. Me dijo que sí. Y esta vez no lo criticó ni se enojó ni nada. Me contó que se acordaba de cuando jugaba con nosotras y cuando tocaba el violín en el living y nosotras tiradas en la alfombra lo mirábamos. Que se acordaba de que papá no se enojaba nunca. Que jamás gritaba y que era bastante callado. Reservado. Aitana dice que eso a mamá la volvía loca. El día que papá se fue y no volvió parece que nadie lo tomó en serio. Pero nadie. Y cuando pasaron los días, mamá se dio cuenta de lo que había pasado y se la pasó llorando tanto tiempo que Aitana ni se acuerda de cuánto fue. Y la abuela estuvo viviendo unos días con nosotras. Eso igual era en el departamento del centro, no en casa. A la casa vinimos después. Me contó todo esto por primera vez y no puedo dormir con tanta cosa en la cabeza. La cena fue pésima pero estuvo genial poder charlar así con Aitana. Nos estamos llevando mucho mejor. Podemos hablar más que antes. Lo necesitaba muchísimo yo. Tenerla más cerca y poder compartir cosas con ella. Bueno, ya es tarde, me voy a ir a acostar aunque no me pueda dormir. Si no, mañana no me levanta nadie.

Mail para Simón.

"Simón, hoy pasé por tu curso pero no te vi. Está bien que nos encontremos mañana, ¿querés pasarme a buscar por acá tipo 3?, ¿te parece bien así? La cena fue un espanto. Me cayeron muy mal los dos, hijo y padre. Dice Aitana que son soberbios y pedantes. Tiene razón. Mamá se ofendió porque no nos gustaron. Pero no es de mala onda o celosas. En fin, espero tu respuesta. Un beso, Rafaela."

Al rato nomás me llegó la respuesta.

"Rafaela, lamento que ni el novio ni el hijo les hayan gustado. Qué se le va a hacer. No es uno quien lo elige pero uno se lo tiene que aguantar, no queda otra. Por ahí después con el trato te das cuenta de que no era tan así como pensaste el día de la cena. Me parece bien que nos veamos a las 3, te paso a buscar yo, que sé dónde vivís. Un beso, suerte para hoy a la noche por si hacés algo con tus amigas, Simón."

Último mail del día para simonoliveira@calia.com:

"Simón, yo también lamento que no me haya gustado el señor en cuestión, ni su descendiente. Mañana a las 3 los esperamos con Minerva. No voy a hacer nada. Mamá y Aitana salieron y con Minerva pensamos ver una peli en la video. Un beso, Rafaela."

Son las 11 de la noche y recién termino de escribirle. Ha sido un día muy comunicado el de hoy. Seguramente este último mail no va a leerlo ahora. Si pone eso de "suerte por si hacés algo con tus amigas" es porque probablemente él haga algo con los suyos. O tal vez se encuentre con la morocha. La verdad es que ni me importa. Pero, en serio, mañana se encuentra conmigo. Ya sé que no es lo mismo pero estoy tan tranquila. Ni angustiada, ni preocupada. Nada de nada.

Aitana me va a prestar para mañana una camisa suya que me queda bastante bien. No lo podía creer cuando le conté que Simón me iba a pasar a buscar. Creo que no lo podía creer porque jamás tuve un amigo varón. Se sorprendió tanto que se le transformó la cara, después quiso disimularlo pero igual ya la había visto. Me dijo que si me gusta el pibe, que no me le haga mucho la amiga porque va a terminar todo mal. Él contándome de sus chicas y yo sufriendo como una condenada. Si no me hago la amiga, ¿qué es lo que puedo hacer? Absolutamente nada. Con esta facha, nada. Además, la verdad es que me interesa como amigo. No es porque me guste, porque ni siquiera sé si me gusta o si, como es la primera vez que tengo relación con un varón, confundo todo. Ya sé que es muy lindo pero no todos los chicos que son lindos me terminan gustando. Para mí que me confundí, que me cae re bien y disfruto compartir cosas con él y nada más. A lo mejor me pasa algo. Esta Aitana,

¡también! Qué sé yo lo que me pasa si recién hace muy poco que lo conozco. Mi hermana estaba más nerviosa que yo. Me dijo que mañana a las 3 estará clavada en la ventana de su pieza que da a la calle para poder verlo. Espero que sea discreta y no ande asomando medio cuerpo. Mamá ni se enteró. Está ofendidísima por lo de Leonardo y el hijo. Allá ella. Yo falsa no puedo ser. Si bien no le iba a decir nada cuando volvimos de la cena, en algún momento se me iba a notar. Está con un humor de perros. Se fue sin decir adónde. Ni cuándo volvía. Solo nos dijo que se llevaba el celular por cualquier cosa. Me dieron ganas de decirle que por cualquier cosa la llamo a la abuela y no a ella, pero no la quería lastimar y me callé la boca.

Aitana me preguntó si me quedaba bien sola o me aburría mucho. Primera vez que me lo pregunta. Le dije que todo bien. Se fue a la casa de una de sus amigas de la facu.

Como le dije a Simón, noche de viernes, noche de peli y después a la cama. Y noche de postres o helados también.

En estos días han pasado más cosas que en toda mi vida, más o menos. Es domingo, acabamos de llegar del club, de comer con los abuelos. Mamá se ha calmado un poco con el tema de Leonardo y su hijo y hemos pasado el almuerzo en paz. Antes, mamá y Aitana jugaron un partido de tenis, el abuelo jugó con el socio y todos contentos. Como siempre, con la abuela nos quedamos charlando abajo del sauce que está al lado del restaurante.

Ayer a las 3 estuve lista con Minerva esperando que llegara Simón. Aitana, lista en su habitación para no perderse detalle del primer amigo de su hermana. Si yo hubiese tenido que hacer eso con cada amigo de ella... Simón llegó en punto. Con Mustafá, que más que perro parece un oso. Al principio con Minerva se miraron raro, muy raro y pensé que chau salida, pero Simón me hizo una seña para que los dejara que se conocieran y al ratito nomás estaba todo bien. Cuando nos íbamos, me animé a mirar de reojo la pieza de Aitana y la muy salame estaba con medio cuerpo afuera haciéndome caras. Me di vuelta enseguida para no reírme. Estos datos lo único que certifican es el grado de odisea que tenía ese paseo de perros para mi vida.

Simón me dijo de ir a la plaza que está sobre la avenida, bastante cerca del colegio, y para ahí fuimos. Siesta, sábado.

Muy poca gente en la calle. En la plaza había bastantes mamás y papás con nenes chiquitos. Nosotros dos con los perros. Simón y yo nos sentamos en un banco, el que está frente al quiosco, debajo del pino. Y los perros corrían de un lado a otro. Y nosotros mirábamos el cielo, los árboles, les hacíamos caras a los chicos que jugaban cerca de nosotros, alzábamos a algún accidentado, pero de charla nada o poco y nada. Igual, incómoda no estaba, no es que haya que estar todo el tiempo conversando pero pensé, en más de un momento, que tal vez Simón estaba un tanto aburrido conmigo. Al rato, como quien no quiere la cosa empezamos a charlar del colegio, de lo que nos gusta, de nuestros amigos, de la vida. Todo bien, porque enseguida me olvido de que no sé si me gusta y le cuento cosas grosas y siento que a él le pasa lo mismo. Y estábamos ahí, de confesión, cuando así de golpe apareció la morocha. Sí, la morocha con la que había bailado Simón, a la que él quería ver hacía un montón de tiempo. Se acercó a nosotros y lo saludó. Y Simón me la presentó. Josefina se llama la morocha. Yo estaba con un jean y la camisa de Aitana. Ella con un vestido de esos de verano. Con zapatillas, y todo el pelo morocho suelto y una cara divina y con su sobrino a upa. Y se pusieron a charlar los dos. Y yo, pintada al óleo es poco. Lo único que pensaba sin parar era en cómo desaparecer para no molestar a Simón, que debía querer que la tierra me tragara. Sí, a mí. Obvio que la que estaba de más ahí era yo. Pensé en saludarlo e irme pero eso quedaba horrible. Y me quedé ahí, invisible, como cuando miro el piso y camino rápido para pasar inadvertida. Josefina, para colmo, me pareció simpática, de esas personas súper agradables. Y lo tengo que reconocer por más celosa que esté. No estuvo mucho tiempo charlando con Simón pero para mí fueron mil años. El hermano, el papá del bebé, le hizo señas desde las hamacas y Josefina, después de saludarnos, se fue. Mientras hablaban, Simón le había dicho que la esperaba a la noche y ahí tenían más tiempo para charlar. O sea, iban a bailar. O sea, Rosario está loca si piensa que Simón puede sentir algo por mí al lado de Josefina.

Después de que ella se fue, Simón estuvo de otra manera. Iluminado. Parece cursi pero es la verdad. Igual a como me quedo yo cuando estoy con él. Y nos quedamos en la plaza como hasta las 5 y pico. Cuando nos volvíamos, me preguntó qué iba a hacer a la noche. Le dije que nada. Me dijo que no fuera aburrida y que fuera a bailar. Le dije que no creía. ¿Para qué quería Simón que yo fuera a algún lado si él iba a estar ocupado?

Al final cuando entré a casa me sentía horrible. Por un lado, la había pasado muy bien pero por otro, mal desde que apareció Josefina. Y no podía evitar reconocer que esa chica era divina le gustara o no a Simón. Lo único que había podido sacar en limpio era que no eran novios, todavía. Más tarde hablé con Rosario. Que me rogó, me suplicó que la acompañara a bailar. Que iban con Wanda. Que Pablo la había llamado y habían quedado en verse en la matiné y su hermana a la matiné no iba ni loca y sola no quería ir. Y si iba con Wanda sola, la dejaba re plantada. Me lo pidió. Y decidí ir.

"Masoquista, masoquista", pensaba mientras me pintaba los ojos. Me miraba en el espejo del baño de Aitana, con sus pinturas al lado, y me lo repetía. Porque en caso de que me gustara Simón, de lo que no estaba segura aún, iba a verlo, seguramente, con Josefina, igual o mejor que el otro sábado. No tenía ropa. Nada lindo. Me puse un suéter y el pantalón negro y listo. Y las zapatillas. Y los aros (el izquierdo era el que me había devuelto Simón). Aitana estaba estudiando en lo de una amiga. Y mamá, que estuvo desde que llegué hasta que me fui, se quedó encerrada en su estudio y después decidió darse un baño de inmersión.

Me pasó a buscar Wanda y de ahí fuimos para lo de Rosario que me agradeció 800.000 veces que hubiera ido. Ganas no tenía. Curiosidad, sí.

Llegamos, nos sentamos en las tarimas. Mirábamos quién entraba y escuchábamos buena música. Vi al rato que entró Simón con sus amigos pero se fueron para otro lado y lo perdí de vista. Nos paramos. Dimos unas vueltas, nos encontramos con Pablo y obvio enseguida Rosario y él desaparecieron. Con Wanda bailamos un rato. La sacaron a bailar y me senté en la tarima cerca de ella, a mirar. Foco al centro. Simón y Josefina. Bailando, hablando, riéndose. Lejos, la pareja más linda de todas. "Masoquista", pensé. Apoyé los codos en las rodillas, apoyé la cara en las palmas de las manos y me quedé ahí un poco cantando, un poco mirando. Hasta que sentí que por la mano me rodaba una lágrima y me di cuenta de que estaba llorando. Me levanté y me fui para el baño. Me metí en uno de los baños. Y me quedé ahí no sé cuánto mientras se me caían las lágrimas y me odiaba por haber ido, por exponerme a eso. Y también pensaba que no podía vivir encerrada.

Cuando salí me senté en un rincón libre de la tarima. Veía las cabezas de las chicas moverse entre la gente. Y ahí estaba cuando alguien me tocó el hombro y no pudo ser mayor mi sorpresa cuando lo vi a Gastón. Sí, Gastón, el imbécil, a mi lado. Creo que se me llenaron los ojos de bronca apenas lo vi. Pero no dije nada. Y él me palmeó el hombro y me dijo: "Disculpame por lo del otro día, a veces puedo ser muy desubicado". Eso solo me dijo. Apenas sonrió y se fue. Yo me quedé helada, preguntándome qué habría pasado entre Simón y Gastón para que él viniera a hablar conmigo, porque no había duda de que Simón tenía que ver con eso. No me imagino para nada a Gastón reflexionando sobre una mala actitud y pidiendo perdón. Es una cosa que está al mismo nivel de imposibilidad de que mamá y papá se arreglen. Me quedé ahí sentada hasta que ya estaba cerca del final. Y en eso apareció Simón por el medio de la pista que ya no estaba tan llena. Venía entre la gente, mirándome y sonriendo. Si no me hubiese mirado tan fijo, me hubiese dado vuelta para ver si no saludaba a otra persona. Antes de llegar a mi lado, estiró los brazos y me dijo que fuera a bailar con él. Hubiese dicho: "No, no", que estaba cansada, que me tenía que ir pero bajé de la tarima. Y él me dio la mano para llevarme hasta cerca de las chicas que seguían bailando y comenzamos a bailar. Sí, Simón y yo. Y nos quedamos charlando. Estaba segura de que Josefina se había ido y por eso me había venido a buscar para no aburrirse. Me dijo de ir a tomar una coca y, cuando pasábamos para la barra, la vi con sus amigas y ya no entendí nada. ¿Le mandaría mails a ella también? ¿Le guardaría el aro? Con el vaso en la mano nos volvimos a bailar y así estuvimos hasta la hora en que cortaron la música para echarnos de ahí. Simón me saludó y se fue con los amigos. Y yo me fui con las chicas. Fue la primera vez en mi vida que no paré de hablar en el remís hasta que llegué a casa.

A la noche recibí mail de Simón.

"Rafaela, la pasé re bien ayer, con los perros en la plaza primero y después cuando bailamos. Qué bueno que te animaste a ir. Las chicas, tus amigas, me cayeron muy bien.

"Como verás, estoy contento. Ayer no te conté porque es muy complicado hablar con la música tan fuerte. Pasa que con Josefina tengo una historia muy larga. La conozco hace como dos años y el año pasado le dije que me gustaba y ella me dijo que nada que ver. Que me quería, pero como amigo. Que es lo peor que te puede decir la persona que te gusta. Nos vimos algunas veces, pero de casualidad y el otro día, el sábado anterior, nos encontramos. En la plaza, ayer, me trajiste suerte. Y anoche. Hoy me llamó para que vayamos al cine. Te lo quería contar desde el otro día. Ahora voy a ver qué me pongo para ir a buscarla. Espero tus noticias. Un beso, Simón."

Me quedé dura mientras sentía una opresión en el medio del pecho. Mirando la pantalla de la computadora, sin contestarle a mamá que me gritaba que dónde había dejado el teléfono. Sin moverme de la silla. Y se me empezaron a caer las lágrimas. Si reaccioné así, creo que es porque siento algo por él. Por más que no esté enamorada, pero me gusta. Si pensara en él como amigo, me hubiese puesto un poco celosa, sí, de que si tiene novia no podamos escribirnos o no nos veamos más. Pero ¿llorar? ¿Sentir que se te hace un nudo en la garganta? Es demasiado. Para colmo mamá, como no le contestaba, me vino a decir que con alguien como yo es prácticamente imposible la convivencia. Que por qué no contesto cuando me habla. La dejé hablar mientras por la pantalla de la compu veía su dedo que se movía para un lado y para el otro mientras me gritaba.

Cuando me dejó tranquila, le escribí el mail que la Rafaela amiga le mandaría a Simón. Fuera de lo que me pasa a mí con él, todo lo que puse en el mail es sincero.

> "Simón, yo también la pasé muy bien ayer. Acabo de recibir tu mail, no sé si vas a alcanzar a leer este pero igual te quería desear suerte para hoy a la noche. Me imaginé que había una historia con Josefina pero esperaba que me la contaras vos. Te digo que me pareció simpática y muy linda. Espero noticias tuyas. Un beso, Rafaela."

Después de mandarlo, la llamé a Rosario y estuvimos hablando un montón. Me largué a llorar y le conté que no sé muy bien qué me pasa con Simón, que me parece que lo quiero. Y que soy una tarada por gustar de un chico como él que es tan especial. Ella me trató de calmar. Volvió a enumerar mis cualidades. Me dijo que si no se daba cuenta Simón de la clase de chica que yo era, él se lo perdía. Y como es una de cal y una de arena (aunque nunca supe por qué se dice de cal y por qué de arena, cuál es la mala, cuál es la buena) cuando estábamos por colgar Rosario me contó que había salido a caminar con Pablo y que se había puesto de novia. Que en el colegio mañana me contaba más. Me puse contenta por ella porque ese Pablo tiene algo que me hace confiar en él. Y una siempre quiere que sus amigas estén con chicos buenos, que las cuiden y las mimen. Es así. Por eso, si no me gustara Simón, tendría que estar contenta por él. No es que le gusta una de esas histéricas que veo cada vez que voy a bailar. Esas minas que de lejos te das cuenta de que no tienen nada en la cabeza. Josefina es linda y es simpática. Digamos que las tiene todas con ella. Como Simón, que es lindo y es especial. No es común que un chico sea así. Para nada común. Los que son lindos muchas veces se la creen tanto que ni se dignarían bailar con una chica como yo. Y con los amigos que tiene él. Y bueno, a lo mejor, como me pasó con lo de Juan Sebastián, en un mes me estoy riendo de andar gustando siempre del hombre equivocado.

Antes que nada, recibí hace un rato mail de Simón.

"Rafaela, todo mal. Tampoco para tanto, pero fracasé nuevamente con Josefina. Me dijo que pensó que después de tanto tiempo podíamos nuevamente ser amigos. Que esperó que no me confundiera y que como la había pasado tan bien cuando bailamos por eso me había invitado al cine. El «no» de todas formas no dolió tanto como la primera vez. ¿Sabés? Josefina es hija de una de las ex novias de papá. Pensaba que tal vez vos y el hijo del novio de tu mamá puedan tener más suerte (chiste). No estoy triste, bueno, un poco, pero se me va a pasar. Muchas novedades más no tengo, igual la peli estuvo muy buena. Podemos ir al cine algún día de estos si querés. Un beso, Simón."

La verdad es que una parte de mí respiró como aliviada pero no estoy contenta. Me dio mucha pena imaginarme a Simón hablando con Josefina y que ella le dijera que no sentía nada por él. Después voy a ver qué le escribo porque es un poco complicado esto de "contener" a alguien que ha sido rechazado. Porque no es lo mismo que suponer que la chica no te va a dar bolilla, esto de mandarte y que te digan: "No". También pensé después que si gustara de mí también se hubiese mandado. De una. Me lo hubiese dicho.

Rosario está feliz. Se ríe como una tonta todo el tiempo. Y me pone súper contenta verla así. Por fin aflojó.

Mamá llegó hace un rato y comentó como al pasar que mañana va a presentarles su novio a los abuelos. Van a ir a comer a la casa de ellos. Me parece bárbaro que los abuelos tengan oportunidad de evaluarlo por cuenta propia. No nos invitó y con Aitana ni dijimos una palabra. Mejor. Aparte, Juan Cruz no va a ir porque tiene que estudiar. O sea, que fuera hijos. Con Aitana vamos a cocinar algo rico. Ya quedó en que viene más temprano de la facu y nos vamos al supermercado a comprar las cosas.

Bueno, me voy a escribirle el mail a este chico, ni sé qué le voy a poner.

"Simón, sé que suena horrible que te diga esto ahora pero ya va a aparecer tu chica. A lo mejor con el tiempo hasta podés ser amigo, de verdad, de Josefina. Mucho más para decirte no tengo. Tengo cero experiencia personal en este tipo de situaciones. Teoría, un montón pero no sirve demasiado. No vuelvas a mencionar la posibilidad de que me enganche con el hijo del novio. Mañana mamá va a presentarles el padre a mis abuelos, veremos qué dicen ellos. Podemos ir al cine cuando quieras. Un beso, Rafaela."

Ayer a la noche le mandé este mail. Hoy Leonardo va a comer a casa de los abuelos. Me interesa muchísimo la opinión de ellos.

Estoy un poco nerviosa porque mañana tengo que dar una clase en el colegio y la verdad es que no me hace ninguna gracia pararme delante de todo el curso. La vamos a dar con Tania. Es sobre los medios de comunicación. Mientras, sigo pensando en qué estudiar cuando termine el secundario. Si fuera por mí, me parece que estudiaría de cocinera. Sí, me encanta meterme en la cocina y crear, mezclar, probar. Además, me fascina todo lo que tiene que ver con las distintas cocinas del mundo. Con las historias que hay detrás de cada plato. Lo he pensado bastante. Después pienso que si llego a ser cocinera voy a terminar hecha una bola. Literal. Al final, uno siempre prueba lo que está preparando, al final y al principio y en el medio. Por eso no sé si será conveniente.

Algo que tenga que ver con el violín también me gusta. Pasa que no sé si solo tocar el violín para siempre. Dar clases sería lindo. A veces pienso que tocar el violín es hacer que papá esté conmigo. Y que el día que él aparezca, tal vez mi violín duerma para siempre.

"Rafaela, no suena horrible que me digas que ya va a aparecer alguien para mí porque a la larga estoy esperando que eso ocurra. Estoy bien... Qué sé yo, siempre son feas las situaciones así pero si uno no prueba... Yo tampoco tengo experiencia en esto, no tanta. No volveré a mencionar la posibilidad de que salgas con el hijo del novio, aunque debo confesarte que donde hay tanta mala onda de entrada quién sabe, ¿no? ¿Qué te parece ir a ver una peli el jueves después del colegio? Bueno, un beso, Simón.

"PD: Decime qué clase de película te gustaría ir a ver."

Respuesta:

"Simón, me parece bien el jueves después del colegio. ¿Qué te parece ir a ver una de acción? Me alegro de que estés bien pese a lo que pasó con Josefina. Ya te dije que no me gusta el hijo del novio. Un beso, Rafaela."

Son las 12 y estoy tirada sobre la cama. Esperando que vuelva mamá de su cena pero parece que no va a llegar. Con Aitana pensamos en llamar a los abuelos pero por ahí ya se fueron a dormir y los despertamos.

Minerva me pone una pata sobre el brazo. Voy a bajar a abrirle la puerta para que vaya al patio y vuelvo.

A la vuelta me miré en el espejo. Me miré así, en pijama celeste. El pelo largo, lacio. Colorado. Los ojos grandes. Tengo los ojos grandes azules. Azul cielo decía papá (siempre me lo decía). Y el abuelo dice que tengo la piel color durazno. Soy gorda. Caderona más bien. Tengo un poco de panza pero es más a lo ancho. Las piernas un poco más gordas que lo normal. Los brazos rellenos. Tengo un lindo escote. Digo, la parte del cuello, la nuca. Siempre pienso que cuando esté flaca por ahí me corto el pelo dejando la nuca al descubierto. Y me gustan mis manos y mis pies. Las que tenemos problemas para conseguir ropa para el torso y de la cadera para abajo, amamos los zapatos, los guantes, los sombreros, las carteras, todas esas cosas que estamos seguras de que, vayamos donde vayamos, nos van a entrar.

"Rafaela, me parece bien. ¿El jueves después del cine tenés como una hora libre? Porque tengo una sorpresa para vos. Espero que te guste, en realidad no te imagines un regalo, ni nada de eso. Te voy a llevar a un lugar. Un beso, Simón."

Estoy muy intrigada. Le contesté un mail corto que decía:

"Sí, tengo «una hora más o menos» después del cine. Te espero en la puerta del colegio a la 1.15. Un beso, Rafaela."

Estoy intrigada por eso, ¿adónde me va a llevar? Rosario me hizo reír mucho recién. Me decía que cuidado adónde iba con él, es una tonta. Ni sé adónde es que podemos ir. Confío en él, así que voy. Dudo de que me rapte o quiera aprovecharse de mí. Espero no aprovecharme de él, con eso es Simón quien tendría que estar asustado.

Es raro lo que una persona te puede cambiar la vida. Él ni se imagina eso, seguro. Cómo era todo sin sus mails, sin verlo de pasada cuando entro o salgo del curso. Es raro lo que puede cambiar la vida de un momento a otro. Hace un mes, si me lo decían, hubiese jurado que era imposible que esto pasara. Estuve pensando bastante en esto y creo que, desde que apareció Simón, me siento menos sola y más viva.

Antes estaba como dormida. De verdad. Suena cursi pero es la verdad. Siento que me estoy despertando de a poco. Estoy contenta. Y lo bueno es que cada vez me siento más Rafaela con él, como puedo serlo con muy poca gente. Y no me da nervios ni nada.

Hablé con la abuela por teléfono, quedamos en que la voy a ver el viernes al negocio. Me dijo que no le gustó Leonardo. Que algo siniestro tiene en la mirada. Como que mamá se pierde cuando está él. Esa fue la sensación que tuvo la abuela, como que mamá se anula cuando él habla tan seguro y tan tajante. Opina como nosotras. Está triste la abuela, porque su hija no tiene suerte con los hombres. Primero papá y ahora este que o lo deja o la anula para siempre como una sombra bajo su persona. Pero ella anda contenta. Dice la abuela que anda contenta porque alguien está pendiente de ella. Que eso si no se tiene por mucho tiempo, se necesita. Que ya voy a entender. Pese a mis discusiones con mamá, me gustaría que tuviera un novio bueno que la quisiera.

Me parece que a la abuela se le caían un poco las lágrimas cuando hablaba. Me dio pena. Pena por la abuela que sufre. Y por mamá que desesperada de esperar se aferra a lo primero que encuentra. Aitana está más crítica, se parece a mí y todo. Dice que a mamá le encanta un tipo tan espléndido en los negocios para mostrarles a las amigas, que aunque no lo reconozca, le encanta que tenga plata y pague cosas caras, no como papá que era un muerto de hambre. Un hombre con ambiciones y auto importado. No sé. Por más que mamá no me guste en muchas cosas, siempre, en el fondo, termina por conmoverme. Más ahora que anda en su vorágine de salidas adolescentes.

Ah, me dijo Aitana que le encantó Simón. Cuando le dije que vamos al cine mañana estuvo todo el tiempo gastándome.

Otra vez me dijo que no me hiciera la amiga, ¿y yo qué voy a hacer si no? Me dijo que me haga un poco la interesante. Me dio risa porque no tengo ni idea de cómo es hacerse la interesante. No entiende porque a ella no le pasa que un chico quiera ser su amigo y punto. Más inocente que una caminata con perros es ir al cine al mediodía después del colegio.

Estoy segura de que cuando nos fuimos del colegio juntos nos miraron bastante. Tipo: "¿Qué hace esa mina con Simón?", lo sé. Fuimos a tomar el colectivo a la avenida y oh, sorpresa, ahí estaba Gastón con el otro amigo. Simón me lo presentó. El otro chico se llama Franco. Les di un beso, sí, al imbécil y al otro, que es igual de imbécil por haberse reído. O sea que subimos al mismo colectivo y viajamos un buen rato los cuatro juntos. Sentados, ellos adelante de nosotros, con Simón detrás. Muy agradable y cómoda situación que recomiendo fervientemente a quien quiera transpirar bastante.

Creo que si respiré dos veces fue mucho, de tan callada y muda que iba. Los tres charlaban y se reían y miraban, fue obvio, a las chicas del colegio de monjas que subían al colectivo. Hombres. Y las chicas, muertas de risa de que las miraran. Simón también miró. Sí, se hace muy el señor educado que gusta de una sola chica, pero es un zarpado. Las miraba fijo, hoy supe que no es nada pero nada tímido. Yo, rogando que subiera algún hombre para mirar o que me mirara sabiendo que si subía las iba a terminar mirando a ellas también.

Por fin nos bajamos del colectivo. Los chicos siguieron. Otra vez besos y chau. Respiré hondo cuando pisé la vereda.

Se estaba haciendo tarde, cruzamos corriendo la avenida. Casi se me vuela la pollera. Sacamos las entradas, compramos lentejas de chocolate y adentro. Estaban dando las colas. No había mucha gente a esa hora. Nos sentamos en el medio de la sala, al centro. Era la primera vez que tenía sentado a Simón tan cerca. En la plaza, en el banco de plaza, estábamos más lejos. Sentía todo el tiempo su brazo junto al mío. Era lindo. Por más Simón que hubiera a mi lado pude sumergirme en la peli y así nos quedamos sin hablar, pasándonos el paquete de lentejas de chocolate hasta que se terminó.

Salimos del cine. Contentos de haber elegido una de acción porque con otra y a la hora en que habíamos ido, corríamos el riesgo de hacer una bonita siesta.

Mientras veía que se estaba terminando la peli me empecé a intrigar de nuevo pensando en el lugar al que me llevaría Simón.

Subimos al mismo colectivo de nuevo para el otro lado. Él estaba disfrutando de mi intriga. Me miraba y sonreía. Y yo ni pregunté para que no me gastara más. Me hacía la estúpida mirando por la ventanilla. Con lo ansiosa que suelo ponerme ante ciertas cosas, me sorprendió mi capacidad para contenerme.

Cerca de veinte cuadras después del colegio, Simón se paró. Esperó que yo pasara y me siguió por el pasillo del colectivo hasta la puerta de salida para bajar. Bajamos. Caminamos como tres cuadras. Y se detuvo frente a una casa de dos pisos con muchas plantas en el balcón del primero, con ramas y hojas que colgaban. Había una verja enorme con un portero eléctrico. Mientras sonreía ante mi cara de desconcierto, tocó el timbre y dijo: "Soy yo". Esperé que saliera Mustafá corriendo cuando abrieron la puerta. Pero nada que ver. Apareció la Tana con Sissí en brazos. Sissí es la gata. La Tana, la abuela de Simón. La persona que ayudó al papá de Simón a criar a su hijo cuando la mamá se murió. La Tana es la mamá de la mamá de Simón, que se llamaba Selene. La Tana me encantó. Es enorme, alta como Simón. De esas personas que son súper amables, y se entregan de una a los demás. Muy alegre. Nos hizo pasar a los dos mientras cerraba la puerta y dejaba a Sissí en el piso. Nos llevó a la cocina donde había preparado una torta y tenía el café recién hecho. Mientras caminábamos hasta la cocina me dijo: "Por fin te conozco".

Nos quedamos ahí tomando un café y charlando. La abuela es un sol. Me mostró fotos de la mamá de Simón, una mujer preciosa. Siempre riéndose. Y fotos de Simón bebé, de Simón en la primaria. En vacaciones. O sea, Simón en fotos. Y algunas del abuelo.

Cuando nos levantamos para irnos eran las 6. Simón dijo que me acompañaba a casa y volvía. Le dije que se quedara, que no había problemas. Pero insistió y me acompañó mientras la Tana, con Sissí a upa para que no se escapara, me saludaba desde la puerta. Caminamos despacio. Mi casa queda como a diez cuadras de ahí. Estaba empezando a oscurecer. Lentamente. Todo el camino charlamos de la abuela. Simón me contó que su abuela es como su mamá. Que es la más fuerte de su familia. Cuando llegamos a casa, nos quedamos así parados mirándonos y me sonrió.

"Estoy contento de que hayas aparecido", me dijo. Me dio un beso y se fue.

Estoy enamorada. Lo sé, ya no tengo dudas de nada. Jamás me sentí así con nadie. Nunca. Ni voy a seguir escribiendo porque de todas formas jamás podría explicarlo.

Aún me dura el amor. Digo, ya no dudo tanto de lo que me pasa con Simón. El jueves a la tarde, cuando volví del colegio me encontré con un mail de él.

"Rafaela, me encantó que pasáramos por lo de mi abuela. Le había contado de vos, ¿sabés hace cuánto? En segundo grado. La otra vez le dije: «¿Te acordás de la nena del violín?, la estoy conociendo». Se acordaba, igual que me acordaba yo. Me dijo que sos simpática y dulce. Y quiere que pasemos otra vez, que va a preparar un lemon pie. Bueno, te dejo. Un beso, Simón."

Le contesté enseguida.

"Simón, a mí me encantó la Tana, tiene una fuerza. Más vale que la quiero ver de nuevo. Estaba pensando que ya que conocí a tu abuela, ¿te gustaría conocer a la mía?, los míos. Vos tenés inglés el viernes, bueno, después de inglés pasá por la florería que está frente al Correo, de paso te llevás un ramo para tu abuela. ¿Te dan ganas? Yo voy a estar ahí con mi abuela Federica. Bueno, un beso, Rafaela."

Le contesté enseguida pero me quedé pensando en eso de la nena del violín. Me conmovió un montón que él se acordara de mí así, como "la nena del violín". Y que de chiquito se lo haya contado a su abuela. Me conmueve que alguien se acuerde de mí, además alguien como él. Siempre pensé, y todavía me pasa, que nadie me ve de verdad. Y Simón se acuerda de algo que pasó hace como diez años. Y yo ni me acuerdo de él. Supe de su existencia porque al grupito de tres de Gastón lo conocen todos.

El otro día, el lunes, apareció una de quinto año, una de las que siempre están en pose y preguntó por mí en el curso. Me señalaron, se me acercó y me dijo: "¿Vos bailaste con Simón Oliveira?". "Sí", contesté. Se dio media vuelta sin decir nada. Lo preguntó como diciendo: "¿Con vos bailó él?". Esto para dar una idea de cómo son las cosas.

Estoy escribiendo desde la florería, esperando que llegue Simón. Son las 3. Comimos con la abuela unas empanadas de la rotisería que está a mitad de cuadra. Y ahora ella está arreglando unos papeles adelante. Amo este lugar. Estoy ansiosa porque llegue Simón. Ayer a la noche recibí otro mail que decía:

> "Rafaela, me parece bien pasar por la florería. Ya sé cuál es. Bueno, yo termino inglés tipo 5 y pico. Un beso, Simón."

Lo estoy esperando. Lo extraño. Nunca estuve tan segura de nada como de que estoy enamorada de él.

Pasó lo que no tenía que pasar jamás. Este cuaderno estuvo en casa de Simón todo el fin de semana. Está anocheciendo. Es lunes. Estoy terriblemente angustiada. Parece de película lo que pasó o de novela. Resulta que el viernes llegó Simón a la florería tipo 5 y media. A mi abuela le encantó, ella le encantó a él. Estuvimos tomando mate en la parte de atrás los tres. Después nosotros nos quedamos charlando. Me mostró unas cosas de su carpeta y no sé cómo este cuaderno cayó dentro de su mochila. Obvio que ni me di cuenta.

Me di cuenta el viernes a la noche, cuando iba a escribir, y pensé que me lo había olvidado en la florería. Me quedé tranquila. En la florería los abuelos no lo iban a tocar y la señora que trabaja ahí, Miriam, menos. Me quedé tranquila en serio hasta el sábado al mediodía cuando recibí un mail de Simón que decía:

> "Rafaela, la pasé re bien ayer. Federica es divina. Ah, me quedé con un cuaderno tuyo. Ni sé cómo. El lunes te lo devuelvo. Un beso, Simón."

Le contesté, desesperada.

> "Simón, llevámelo el lunes al colegio, pero por favor no leas nada, que es personal. Rafaela."

Me sentí desnuda. El cuaderno este dice de todo, ¿y si por casualidad lo abría y veía su nombre y se ponía a leer o lo vencía la curiosidad?

Me puse tan nerviosa que el domingo me desperté con fiebre. Y me pasé todo el día en la cama tratando de leer. Ni agarré el violín, ni le di medio segundo de bolilla a Minerva. Tampoco me daba para ir hasta la casa de Simón a buscar el cuaderno. Y él no había vuelto a escribir. A la tarde, cuando abrí el correo me encontré con uno largo de él.

> "Rafaela, me pasó algo que no quería que me pasara. Leí la primera hoja de tu cuaderno. Pero fue antes de que me dijeras que no lo leyera. Pasa que lo abrí para ver qué era, por si era de la florería, para ir a devolvérselo a tu abuela. Leí la primera oración y no pude parar hasta el punto final de la primera hoja. Sabía que no tenía que hacerlo, porque enseguida supe que era algo muy tuyo, pero no pude parar. Y en cierta forma me gustó que pasara para entender un montón de cosas. A Gastón le haría muy bien leerlo. Obvio que no se lo voy a mostrar, ni lo pienses. Me encantaría hablar de todo eso con vos. De lo de los kilos de más. De la relación con tu mamá y tu hermana. De cómo te sentís en el colegio. No sé, tengo muchas ganas de hablar con vos. Te voy a esperar afuera del colegio mañana a la 1.15, sé que salís 1.30. Perdoname que leí una parte. Un beso, Simón."

Cuando lo leí casi me muero. Estuve segura de que si abrió la primera hoja, abrió la última y la última frase dice textual: "Nunca estuve tan segura de nada como de que estoy enamorada de él".

De terror. Anoche ni dormí de los nervios y si hoy corrí al colegio fue para recuperar mi cuaderno. En el segundo recreo me lo dejó debajo del banco y respiré tranquila, aunque no sé por qué. Si lo había tenido un fin de semana, podía haberlo leído entero. Todo, de punta a punta. Y eso, además de bronca, me daba mucha vergüenza. Muchísima vergüenza.

A Rosario ni le conté porque si lo contaba me iba a largar a llorar de una. No le conté pero se dio cuenta de que algo me pasaba, que ni hablé en casi toda la mañana. Le dije que no me sentía bien. Me dijo que su papá la iba a pasar a buscar en el auto, que si quería, me llevaba. Le dije que sí. Me contó que había ido a bailar con Pablo y que estaba Simón bailando con una rubia de pelo muy cortito. Que bailó toda la noche con la misma chica. No acoté nada, me hice la estúpida y miré para otro lado. A la 1.30 bajamos. Simón estaba sentado en una baranda enfrente del colegio. Me miró. Lo miré. Vi que se paró para cruzar y antes de que lo hiciera me metí en el auto del papá de Rosario y arrancamos. Me dio pena porque se quedó parado sin entender nada. Lo lamento, pero no me importa, jamás tendría que haber leído nada, nunca. Y además me moría de vergüenza. Estoy segura de que él sabe que estoy enamorada de él. Y eso es terrible, ya sé que no es para morirse pero es mi amigo y si se enteró, por ahí dejamos de ser amigos. Por ahí no nos vemos más. O piensa que me le acerqué porque me gusta solamente. Y me gusta porque es un tipazo. En fin, un día pésimo, un fin de semana pésimo.

Hablé con Aitana sobre lo del cuaderno. Primero se sorprendió de que escribiera un cuaderno con mis cosas. Aitana es una colgada, me debe haber visto escribiendo un montón de veces. Me dijo que tengo que volver a hablar con Simón como si nada. Que a cualquiera le puede pasar leer la primera hoja de un cuaderno, que a cualquiera le puede pasar tener curiosidad. Me pregunto ahora cuántas cosas mías que ha encontrado por ahí le habrán dado curiosidad. La cuestión es que me recomendó que volviera a hablar con él. Le dije que el cuaderno decía cosas de él. Me dijo que mejor así por fin se entera. Y punto. Aitana, sin que le contara, dice que se dio cuenta enseguida de lo que me pasa con él. ¿Seré tan obvia?

Hablé con las chicas sobre lo del cuaderno. A Rosario le pareció mal que lo hubiera leído, pero le encantó ese mail que me mandó sobre lo que quiere hablar conmigo por lo que leyó. Rosario opina que tengo que saludarlo, hablarle. No cree que haya leído el cuaderno entero.

Tania, la que va a estudiar psicología, me dijo que por algo dejé el cuaderno tan a la deriva, que yo inconscientemente intentaba que él se enterara de que a mí me pasan cosas con él, como un punto final a la situación. No cree que lo haya leído entero. Cree que tendría que hablarlo con él, pero subirme al auto corriendo es una actitud evasiva que no me va a hacer bien.

Wanda es la única que cree que lo leyó entero de una. Más si dice cosas interesantes. Eso me dijo. Que no deje el cuaderno cerca porque cree que no podría contenerse y leerlo.

Después de escucharlas, pienso que no lo debe haber leído entero y si lo leyó entero, ya está, qué se le va a hacer. Ya no me da tanta vergüenza. Creo que si lo leyó entero, estuvo muy mal.

Ahora, más que dramática, la situación me parece graciosa. Como de una película de enredos.

Ya no estoy ni tan enojada, ni tan avergonzada. Además, lo extraño.

Son las 12 de la noche. Hace un montón que quiero escribirle a Simón y no sé qué ponerle. Estoy sentada frente a la computadora, escribiendo en el cuaderno que está apoyado sobre el teclado. Hace un rato nomás recibí este mail:

"Rafaela, me quedé mal viendo cómo el otro día se iba el auto. Me siento muy mal por lo que pasó. Me imagino que te debés sentir como desnuda. Escribiste mostrando lo que sos más profundamente y va cualquiera y lo lee. Tal vez pensás que leí el cuaderno entero y no te lo quiero decir. La verdad es que me dio muchísima curiosidad pero no me animé. No me parecía bien leerlo. No te podría mirar a los ojos. Y para que no te dé vergüenza y me puedas mirar a los ojos a mí cuando nos veamos, te cuento que me llamo Simón Oliveira. Tengo 16 años. Nací el 7 de mayo. Vivo desde entonces con papá, y un poco también con la abuela y el abuelo que son los que ayudaron a papá a criarme cuando murió mi mamá. Ella se llamaba Selene y tenía un olor suave. Un olor que no voy a olvidar jamás y que espero siempre volver a sentir. Fue muy duro no tener más a mamá, para todos fue duro.

"La Tana nos sostuvo a nosotros tres, al abuelo, a papá y a mí. El abuelo tocaba el violín todas las noches. Siempre. Desde que mamá murió, se acabó la música. Y volvió con vos en ese acto de segundo grado. Tenía 7 años, hacía meses que mamá había muerto, meses que no escuchaba el violín y tenía la esperanza de que el día que volviera a escuchar uno, mamá iba a volver, iba a traer la música. Por eso me acuerdo tanto de vos. Porque desde el final de la fila, siempre fui uno de los más altos, me acerqué hacia delante. Y te vi con el pelo largo cubriéndote la cara. El pelo bien colorado. Tocando el violín. Mamá no apareció, pero volvió la música.

"La Tana es la persona que más admiro. Sin dudas. Tengo amigos con los que me siento cómodo y seguro, los conozco de toda la vida, pero con los que no comparto un montón de cosas, y para eso, para compartir, estás vos.

"No soy tímido, soy tranquilo. Como papá. Me gusta conocer gente. Tengo buena relación con las chicas pero la única que me interesó para novia nunca me vio más que como un amigo. De mí físicamente puedo decir que soy un chico común y corriente. Alto. Pero común y corriente. Me gusta mucho leer. Puedo pasar horas, igual que mamá, que nos dejó una biblioteca enorme.

"Me duele que estés tan triste, me gustaría que habláramos.

"Me duele la primera hoja de tu cuaderno. Simón."

La verdad es que me sorprendió tanto. Nunca esperé que me mandara un mail así. Y menos que dijera las cosas que dice. Que la música volvió a su vida por mí. Me da mucha ternura imaginarme al Simón chiquito que vi en fotos acercarse a la primera fila para ver quién tocaba el violín. Me gustaría abrazar a ese chico que buscaba a su mamá. Me gustaría que me abrazara.

"Simón, en realidad no estoy ya tan enojada, porque admito que a mí también me podría haber pasado leer una hoja. Me gustó que me lo dijeras, te lo podrías haber callado. Me gustó mucho tu mail. Y te creo que no leíste más que eso. Pasa que es algo muy personal y sabés que soy muy tímida, y para colmo en ese cuaderno escribo de cosas que son muy íntimas. Bueno, nada, que espero que estés bien. Que nos veamos pronto. Y disculpame por lo del otro día, digo, que me subí al auto. Te vi pero no quería hablar con vos en ese momento. Un beso, Rafaela."

Lo mandé. Me quedé sentada frente a la computadora tomando un café. Mamá y Aitana hace rato que subieron a acostarse. Hoy vinieron las chicas a hacer un trabajo, lo terminamos pero tarde, por eso me quedé hasta ahora escribiendo. Con las tres hablé un poco de lo que pasó. Solo con Rosario hablamos de todo, de lo que me escribió Simón, de lo que siento. Si Tania y Wanda se enteran, van a enojarse. Pero la verdad es que todavía no estoy preparada para aceptarlo ante tanta gente, esto de que siento que estoy enamorada de Simón.

Rosario me dice que a él algo le pasa conmigo, le conté lo que hizo él con Josefina, que le dijo de una lo que sentía. Pero insiste con que a Simón le pasa algo que ni él mismo debe saber todavía. Ahora que tiene novio se hace la entendida en estos asuntos del corazón. Una pesadilla. Ya le dije que si a Simón le pasara algo me lo diría, y no acepto nada más. Porque de hecho hasta hace unos días seguía re enganchado con Josefina y ahora que apareció la rubia de pelo cortito no sé qué va a pasar. Después llegaron Tania y Wanda y ya no seguimos hablando.

Yo de verdad pienso que a él no le pasa nada conmigo.

Y a mí todo con él.

Estaba ansiosa, muy, me dio bronca pero me terminé comiendo el resto de helado que quedaba en la heladera del fin de semana. Era un montón y ahora me siento mal. Tenía ganas de ir a bailar el fin de semana y si sigo así me puedo poner encima la carpa de Aitana porque lo que es la ropa no me va a entrar.

Mamá salió, Aitana salió. Una, con Leonardo y su hijo a cenar. La otra, con las amigas al cine. Y a bailar. Con Minerva estamos otra vez solas en casa. Son las 10 de la noche. Y estoy aburrida. Muy. Inquieta, como que no me puedo poner a hacer nada. Empiezo a tocar el violín, dejo, pongo música, dejo, prendo la tele, abro un libro y así hasta ahora que me puse a escribir. Todavía no comí porque no decido qué comer.

Hoy no es un buen día. Para colmo, Simón ni me escribió. Es viernes, o sea que debe estar con sus amigos. O con la rubia esa de pelo cortito.

Tocan el timbre. Es raro. Voy a atender, no me da nada de miedo. Total, si no, prendo la alarma.

Son las 2 y pico de la mañana. Recién se acaba de ir Simón. Me pregunto cómo vino hasta acá un viernes a la noche. Pero vino. Miré por el visor y lo vi parado ahí con su campera de jean, arreglándose el pelo. Le abrí. Pasó. Minerva le hizo una fiesta. Se le tiraba encima, movía la cola, ladraba, está más enamorada de él que yo. Me dijo que venía de ayudar a su papá con unas cosas y que decidió pasar a verme, que no quería molestar. Le dije que no molestaba, que de hecho la mayoría de los viernes estoy sola.

Y así jugando con la perra me dijo que gracias por el mail, que le había encantado. Y que si estaba sola y no había problemas, se quedaba a comer conmigo. O sea que llamó a su papá y le avisó que se quedaba en casa y llamamos para pedir una pizza. Nos sentamos en la cocina. Le serví un vaso de agua. Aclaremos para todo esto que yo estaba así nomás, con un buzo de gimnasia rotoso y el jean viejo. Con un rodete destartalado en el pelo. O sea terriblemente seductora, una diva en potencia. Me dijo que le mostrara mi pieza, que la otra vez no la había visto. Me imaginé, mientras subíamos la escalera, los comentarios de Rosario cuando le contara este detalle. Entramos a mi habitación que por suerte estaba ordenada (por suerte y porque mamá odia lo contrario). Miró la biblioteca, las fotos y enseguida agarró el violín y me lo dio: "Quiero que toques algo", me dijo. Yo le dije que no. Rogué que llegara la pizza. Pero no llegó en ese momento y no podía quedarme toda la noche diciendo: "No, mejor no". Se sentó en la cama y toqué lo primero que me vino a la cabeza. Hasta que sonó el timbre. Y tuvimos que bajar. Fue lindo porque Simón me miraba y yo con la música me sentía muy segura, muy cómoda. Sentía que él disfrutaba. Y que seguramente tenía muchos recuerdos. Que se había acordado de la nena del violín viéndome tocar de nuevo.

Comimos. Miramos una película del cable tirados en el sillón. Y cuando se terminó me dijo que ya era tarde, que mejor se iba. Pidió un remís y se fue. Nos reímos bastante. Y eso estuvo bueno. No dijo nada de cómo toqué el violín pero estoy segura, me juego la cabeza, de que le gustó. Y, algo bueno alguna vez puedo tener. Y si él lo valora, mejor. A otros no les parecería importante o no disfrutarían con el violín. Otros no disfrutarían caminando, bailando conmigo, mandándome mails. Pero él sí. Eso es lo que me parece tan raro y tan mágico a la vez.

Ha sido un día complicado. Hace un rato que volvimos del club, de almorzar con los abuelos y oh, sorpresa, cuando llegamos ahí, estaban Leonardo y su hijo muy instalados en la mesa. Dice la abuela que mamá se enojó porque nuestra cara fue muy evidente. Que tampoco la pavada, que ella entiende que esta gente (a ella tampoco le caen muy bien) no nos convenza pero que debemos hacer un esfuerzo por mamá. Un esfuerzo para que no esté más con él vamos a hacer. Le dije a la abuela que lo lamento, que falsa no soy. Que deberían estar contentos. Me miró con cara de "¿De qué hablás?". Me dijo, nos dijo, porque la agarró a Aitana también, que hay que aceptar la decisión de mamá, que ella no está llevando el novio a casa a vivir, que agradezcamos que lo lleva solo a un almuerzo. Pero es que yo, creo que Aitana piensa lo mismo, agradecería si no existiera este señor junto a mamá. Y pensamos que los almuerzos con los abuelos no deben ser invadidos por estas personas que solo hablan de negocios, de ellos mismos todo el tiempo. No es que no quiera que tenga novio, ese novio es súper desagradable. Y ese hijo. Con esa mirada babosa, todo el tiempo mirándola a Aitana, un poco más y es acoso, del propio hijo del novio de tu mamá. Un espanto. Para colmo, mamá se hace la víctima. "Yo las crié y mirá cómo me pagan." No sé qué hacer. "Pobre de mí", es su actitud permanente. Mamá, además de linda y joven, es inteligente. ¿Por qué, me pregunto yo, no se busca un hombre más afín? Incluso en el auto se dio vuelta en un semáforo en rojo y nos dijo: "¿Qué quieren, uno como su padre, un novio así para mí?". Y dale con papá. Hace un millón de años que no está y siempre tiene la culpa de todo. Creo que se portó horrible, se sigue portando mal con nosotras pero tampoco tiene la culpa de todas las desventuras de mamá con los hombres y de que a nosotras no nos guste Leonardo. Que además le ha dicho a mamá que somos muy caprichosas, que nos tendría que tener más cortitas. La quiere a Aitana encerrada para dársela en bandeja al hijo baboso. Estoy entrando en algo peligroso, detesto a esa persona. Pero de verdad detesto que un desconocido venga a meter en la sombra a mamá y opine de nosotras y de nuestra vida. Y es así porque mamá lo permite. Pero con Aitana no pensamos dejar que se aproveche o se meta. Bastante bien estuvimos sin el novio hasta ahora como para que quiera venir a poner orden.

El sábado nos juntamos con las chicas a tomar mate en lo de Wanda. Como ya está empezando a hacer calor nos quedamos en el patio, sentadas debajo de la enredadera que está en el fondo, charlando de la vida. Queremos arreglar el mundo. Siempre. Me encanta charlar con ellas. Y escucharlas. Les conté del viernes, de la visita inesperada. Les dio risa que no me diera cuenta de que a Simón sí o sí, todas están de acuerdo, le pasa algo conmigo. Rosario, que se está pareciendo a Tania, me dijo que ni él sabe lo enamorado que está de mí. Que eso le da ternura. Me da risa que opinen sin conocer, pero debo soportarlo porque he opinado muchas veces de la misma manera. Les expliqué que piensan eso porque si un chico hiciera con ellas las cosas que Simón hace conmigo, sin dudas estaría enamorado, esas cosas les pasan a mis amigas y no a mí. Al final les terminé contando a Wanda y a Tania que pienso que estoy enamorada. Dijeron que les encanta la pareja que hacemos. A mí me parece despareja en muchos aspectos.

Quedamos en ir a bailar esa noche. Todo un tema, ir a bailar cuando se viene el calorcito porque no solo que una no tiene ropa, sino que se saca ropa y a mí no me gusta en absoluto esa etapa de mostrar los brazos, sacarse la campera que tapa la cola. Ando de manga larga hasta que me siento mal. Y debo sacarme algo. Todos en remera y yo con campera. Me preguntan: "Rafaela, ¿no tenés calor así?". "No, no sé qué me pasa, estaré destemplada", les contesto mientras pienso "sí, me estoy muriendo de calor pero no me gusta mi cuerpo y si me saco la remera, se me ve". Ni hablemos de la playa, hace exactamente dos años que no piso una playa. No es que me pongo remera larga y short. Me quedo en el departamento. Invento excusas. Tampoco voy a piletas, las chicas viven enojándose porque no voy y piensan que es porque no me quiero mover. No voy a piletas porque me da vergüenza que me vean en malla. Es así. O sea, que cuando se acerca el verano ir a bailar se complica.

La noche del sábado fue un problema encontrar ropa para ponerme. El pantalón negro obvio, y al final encontré una remera, suelta, de manga larga medio hippona de Aitana que me entró. Me pinté, me dejé el pelo suelto. Me puse unas sandalias con poco taco. Y al final me pasaron a buscar las chicas.

Llegamos más tarde de lo habitual porque, como íbamos las cuatro, siempre nos demoramos un poco más.

Pablo nos esperaba en la entrada con el novio de Tania. O sea, que los seis nos fuimos a bailar juntos. Las chicas bailaban con sus novios y nosotras dos entre nosotras. Hacía un montón que no me divertía y no me soltaba tanto. Aparte la camisa de Aitana me quedaba tan cómoda y no tenía calor. Cuando voy emponchada para que no se me note tanto el cuerpo es prácticamente imposible bailar. Y a mí bailar me encanta.

Lo vi a Simón al rato nomás de estar ahí. Justo al otro lado de la pista bailando con la chica de pelo cortito, rubia. Debía ser la misma que me había contado Rosario que había bailado con él el sábado anterior. Los observé, era una de las que están en pose. Se notaba de lejos. Y bueno, pero era linda. Y estaba muy bien vestida. Cuando ellos dejaron de bailar y pasaron cerca de nosotros para irse quién sabe a qué lugar, Simón nos saludó y nos la presentó. Sabrina, se llama la rubia. Ni nos miró. Simón solo nos saludó y se fueron para la barra. Ni me miró a los ojos.

Un rato después fui al baño. Y me metí en uno. En ese momento escuché a una chica contándoles, seguramente a sus amigas (la charla de baño es una de nuestras características más femeninas), que había bailado por fin con Simón. Y que él le había presentado a la gorda con la que estaba la otra vez. Que ahora que la había visto de cerca, se quedaba tranquila porque además de gorda era fea. Me asomé apenas

Rubia → Sabrina

por la rendija de la puerta y vi la imagen de la rubia reflejada en el espejo acomodándose el pantalón y la remera corta. Me encerré en el baño para esperar que se fueran. Una cobarde, lo sé, pero jamás me peleé con nadie y no me daban ganas de empezar ese día. La rubia me tocó la puerta. "Nena, ¿no vas a salir?", dijo. "No", le contesté. Y me hubiese quedado hasta el día siguiente ahí metida con tal de no verle la cara. "Hay minas boludas, ¿eh?", dijo enojada y se metió en otro baño que se debía haber desocupado. Cuando por un rato no sentí más su voz, salí. Me miré en el espejo del baño. Había quedado el reflejo de la rubia en mi cabeza. Flaca, alta, esbelta. Me llevaba como una cabeza. Piernas largas. Ombligo al aire. Brazos trabajados, quemados. Nariz respingada. Y al lado, yo. Más petisa, ancha, gorda, sin gracia. Piernas gordas. Ombligo tapado porque al sentarse se pierde entre los rollos de la panza. Brazos rellenos. Yo, al lado de ella, un poroto. Ni a los talones le llegaba. Dejando de lado lo imbécil (yo no podía afirmar ser todo lo contrario) y hablando solo del físico, había que reconocer que mi cuerpo... odio mi cuerpo. Decidí no volver más a bailar. Salí del baño, me senté en la tarima y no dije una sola palabra hasta que nos fuimos. Obviamente a la vuelta, como ocurrió el 99% de las veces, no tuve absolutamente nada para contar.

"Rafaela, la pasé genial el viernes en tu casa. Podemos repetirlo. Me dio pena el sábado que no pudiéramos bailar ni un poquito, otra vez será. Un beso, Simón."

Me dio bronca, es la primera vez que me enojo con Simón. No pudimos bailar porque él no se hizo ni un minuto de tiempo. No porque yo estuviera súper ocupada. Así que no entiendo por qué le da pena, si él estuvo muy divertido toda la noche con la rubia que me dijo fea. Nadie me había dicho fea. Gorda, vaca, sí. Total, para la gente es lo mismo. "Otra vez será", dice él, otra vez no será nada porque ni pienso bailar con él si es que vuelvo a ir a bailar, cosa que dudo profundamente.

Le contesté enojada, que se entienda bien.

"Simón, espero que hayas tenido una noche interesante con Sabrina. Rafaela."

Nada del viernes, nada de repetirlo. Y casi me dejo vencer por el deseo de aludir a Josefina, para lastimarlo nomás. Decirle algo así como "qué rápido que te olvidaste de la única chica que de verdad te gustó". Nunca, ni siquiera los primeros mails fueron tan breves como los de hoy, lunes. Y presiento que la cosa va a seguir así.

Además, el otro día ni siquiera hablamos de la primera hoja de mi cuaderno. Ni lo mencionó. Ni lo mencioné. Ahora la próxima vez que vaya a bailar voy a bailar con el primero que se me cruce. Con el primero que me diga algo.

Si es Gastón, que sea. No me pienso quedar un día más sentada en esa tarima de porquería como un hongo. Mirando cómo todos bailan, cómo se ríen, cómo se divierten. Yo también me voy a divertir.

Lo juro, no me gusta jurar por lo tanto téngase muy en cuenta el valor de este momento, juro que bailo con el primero que se me cruce.

El primero que se me cruzó resultó ser alguien que Simón detesta. Estamos a mano, entonces, porque la rubia me cae pésimo.

Es domingo. Ayer fui a bailar. Me puse la camisa verde, esa que me hizo la amiga de Aitana. Fuimos otra vez todas juntas. En casa no pueden creer que estoy saliendo más. Les gusta. Sobre todo a Aitana que se empeña en arreglarme todo lo que puede. Ayer me hizo un peinado espectacular. Como unos choricitos en el pelo, desde la frente hasta mitad de la cabeza y el pelo después lacio.

Nunca había ido así a bailar. No digo por lo linda, así me refiero a una actitud completamente diferente a lo que es común en mí. Iba con la clara idea de no quedarme sentada en esa tarima. Iba a bailar, a sentirme linda sin vergüenza. Y estaba más linda, todas me lo dijeron. Me dijeron que más flaca. Todo el mundo asocia flaca a linda. Pero no es verdad.

Cuando llegamos, el primero que se me cruzó fue un chico al que le volqué parte del vaso de coca encima. Me han pasado cosas por mi torpeza, pero ¡semejante papelón! El chico se sacudió la camisa mojada y se rió. Se rió. Yo pensé que me iba a decir: "¿Qué hacés, gorda? ¿Por qué no mirás por dónde caminás?". Pero me miró y me dijo: "Bueno, por lo menos ahora vas a tener que convidarme un poco de lo que te quedó".

Le di. Tomó un trago. Se sacudió otra vez la camisa blanca que había quedado con una enorme mancha. Le pedí perdón. Y me invitó a bailar, sí, a mí, a Rafaela Rivera. Y bailé. Tenía muy clara mi intención de bailar con el primero que se me cruzara. Las caras de las chicas me resultaron graciosas cuando les dije que iba a bailar porque eso nunca había pasado. Nunca. El chico era un poco más alto que yo, castaño, de pelo corto y ojos negros. Nos pusimos a bailar y a charlar y me pareció muy simpático. Me hizo reír bastante. No me sentí incómoda, ni me acordé de mis caderas. Todo hasta que apareció Simón bailando en el otro extremo de la pista con la rubia. Y me vio. Y se le transformó la cara. Y yo lo saludé con la mano como si nada. Me hizo un gesto con la cabeza. Poco diálogo hemos tenido en estos días desde que me enojé con él. En realidad fueron unos mails cortos. Al rato de estar bailando con el chico, que se llama Damián, apareció Simón de la nada. Lo saludó cortado y me susurró al oído: "Rafaela, este pibe es un tarado". Le sonreí a Damián mientras le decía a Simón: "La chica que está con vos también, y no te ando molestando por eso".

Simón me miró asombrado, lo taladró con la mirada a Damián y se fue con la rubia de la mano. La verdad es que ni me importó lo que pensara de Damián. En otro momento hubiese pensado que si Simón me decía eso, era verdad. Pero enojada como estaba, desconfiaba mucho de la opinión de Simón. Y de hecho, por más tarado que fuera, el chico tenía la mejor onda conmigo. Parece que el problema, por lo que me contó Damián, es que hubo una discusión entre ellos por un partido de fútbol, porque él juega en un club y Simón en otro. A mí Damián no me pareció ningún tarado sino todo lo contrario. Debo confesar que por un momento me olvidé de que estaba Simón por ahí.

Nosotros seguíamos bailando hasta que nuevamente apareció Simón y me dijo si podíamos hablar. Lo miré a Damián, le dije que me disculpara y subí a buscar un sillón para sentarme con Simón a ver qué era lo que quería, pesado como estaba.

Nos sentamos, estaba enojado. Me preguntó por qué seguía bailando con el chico si me había dicho que era un tarado. Le dije que porque me había sacado a bailar y era la primera vez que un chico me sacaba a bailar.

"No es la primera vez", me dijo. "Sí, pero vos me sacaste de amigo, y él porque le interesé, por lo menos, para bailar como chica", le contesté. Me dijo qué tenía que ver que me saque a bailar, si no confío en él. Que no, le dije, que si tuviera más criterio no estaría con la rubia.

—Pero me gusta.

—Y es una tarada.

Le conté lo del baño para que creyera nomás lo que le había dicho. Y le pregunté si tenía algo así que decirme en contra de Damián. Me miró fijo y me dijo: "Bueno, pero tampoco porque te sientas tan mal está bien tirarte encima del primero que se te cruce".

Lo miré, me levanté y me fui. Me ardía la cara. El pecho. Me zumbaban los oídos. Solo quería irme de ese lugar. Es la primera vez en mi vida que me levanto y me voy sola. Les dije “chau” a las chicas y no les di tiempo a preguntarme nada. Saqué la campera del guardarropa y salí.

El aire fresco me despejó la cara. Qué se creía el muy imbécil. Se creía que tenía derecho a opinar, yo no decía nada de con quién estaba él. Además, ¿qué tiene que ver cómo uno se sienta? Sí, no me siento preciosa, pero me trató de necesitada. No sé, me cayó mal lo que me dijo. Me pareció injusto. Caminé despacio por la calle esperando ver aparecer un taxi. Además tenía ganas de llorar. Muchas ganas de llorar.

De repente alguien tocó bocina, miré para el costado y lo vi a Damián en un auto.

—Subí que te llevo —me dijo.

Y subí. Me preguntó dónde vivía.

—Alguien se puso un poco celoso hoy, ¿no? —me miró y sonrió.

—Nada que ver, somos amigos.

—Haceme caso, Rafaela, se puso celoso.

Damián volvió a sonreír y siguió manejando hasta casa hablando de cualquier cosa.

Me dejó en la puerta, le agradecí y esperó que entrara para arrancar el auto. Y acá estoy sintiéndome horrible.

Me pregunto: ¿por qué tiene derecho Simón a bailar con alguien y conocer chicas, y yo no? ¿Porque soy gorda quiere decir que me tiro encima del primero que se me cruza?

Si antes estaba enojada, ahora estoy mucho más. Además, el único que se portó como un tarado fue Simón. Ojalá pronto, muy pronto, deje de sentir lo que siento por él.

"Rafaela, anoche te seguí y vi que te subías al auto de Damián. No entiendo por qué no confiás en mí si te digo que no es una buena persona. Además, cómo te vas a subir al auto de un desconocido. No lo puedo entender. Sé que no estuve bien con vos, todo lo contrario, estuve muy mal. Vos tenés todo el derecho a bailar con quien se te dé la gana. Y eso no quiere decir que te le estés tirando encima a la persona. ¿Cuándo vamos a hablar? Simón."

Sigue pensando que tiene razón. Hace un rato llegué de francés, Rosario está haciendo unos deberes en la cocina. Le conté lo que pasó, me dijo que se nota a la legua que se puso celoso con lo de Damián, y esa no fue mi intención y dudo de que sea verdad que se puso celoso. Yo también tengo derecho a bailar. Además, a mí me gusta Simón. Y no por eso todas las veces que lo vi con otra chica fui a hacerle problema. Dudo de que se haya puesto celoso. Pero eso parece, después de todo.

Ahora no sé qué ponerle. Lo mejor va a ser que hablemos. Pronto y listo.

Le voy a decir que nos veamos mañana después del colegio y punto.

"Simón, no te entiendo. Tengo derecho a bailar con quien se me dé la gana. De todas formas, Damián se portó muy bien conmigo. Igual si querés que hablemos, te espero mañana después de tu última hora en la puerta del colegio. Rafaela."

Esperé solo un rato a que salieran los chicos del otro curso apoyada contra la pared. Finalmente salieron. Simón me dio un beso y saludó a los amigos. Empezamos a caminar para el lado de la plaza. En primer lugar, me pidió perdón. Y me dijo que él se preocupa por mí, que sabe cómo soy y que no quiere que nadie me lastime. Y por eso se preocupó el sábado. Tiene su coherencia el argumento, dentro de todo.

Me dijo que Damián no es para mí. Y eso me dio risa.

—¿Y la rubia esa, es para vos?

—No sé, pero ese Damián, Rafaela, no me parece.

—¿Y vos cómo sabés quién es para mí?

—Otro tipo de persona.

No le dije nada más, porque ni él sabía lo que me decía.

Llegamos a la plaza, nos sentamos en el mismo banco que la primera vez, cuando habíamos ido con los perros. Bajo el pino. Simón estaba serio y eso no es muy común en él. Y yo estaba más Rafaela que nunca. O sea ni tímida, ni callada, nomás. Y estaba enojada.

De golpe me empezó a hablar de la primera hoja de mi cuaderno. Me dijo que no entiende lo de los chicos, porque soy muy linda y que confíe en su gusto. Entonces me pidió que le creyera que yo era linda. Y que no hacía falta que fuera flaca para ser linda. Que lo era. Que era inteligente, que lo hacía reír, que tocaba muy bien el violín.

Yo estaba roja como un tomate. Pero como un tomate en serio. Que tenía que aprender a soltarme más. Porque casi nadie me conocía verdaderamente.

Simón miraba para adelante. O sea, no me miraba a los ojos. Yo también miraba para adelante. Pero en algún punto de su discurso lo empecé a mirar a él. Su oreja, el pelo lacio, las pestañas largas. Y él sintiéndose observado giró su cara y me miró. Nos miramos.

Teníamos las narices a tan poca distancia que pensé que con un leve movimiento podíamos rozarlas. Pero lo más impresionante eran los ojos.

Mis ojos, los suyos.

Mis ojos en los de él. Sus ojos tenían mi cara dentro.

"Te quiero", me dijo.

Y me dio un beso.

Me rozó los labios. Y lo único que sentí fue una cosquilla en la panza.

Él me besó. Porque yo estaba paralizada. Y empecé a tiritar, pero no de frío, sino de nervios.

Simón me seguía mirando con los ojos grises. ¿O eran mis ojos? Me sacó el pelo de la cara. Y me dio un beso en serio.

Mi primer beso.

Después me miró y me volvió a decir: "Te quiero".

Y yo estaba muda. Y tenía tantas cosas para decirle pero no podía mover los labios. Tampoco tenía las ideas en orden.

Simón me agarró las manos entre las de él. Mucho más grandes que las mías. Y así se quedó. Mirando para otro lado.

Y yo intentando hablar. No pude.

—¿Estás bien? —me preguntó.

—Bien, sí.

—Y a vos, ¿qué te pasa conmigo?

—¿De qué? *(¿Cómo pude preguntar de qué?)*

—De esto.

—Que yo también te quiero.

Miró el reloj y me dijo que se tenía que ir. Que me acompañaba a casa. Fuimos de la mano.

Simón y yo de la mano por la calle. No hablamos. Él también estaba nervioso. Muy. Llegamos a la esquina de casa.

—Bueno, ¿me das tu teléfono? —me dijo y anotó en la punta de una hoja toda tachoneada.

Me dio otro beso. Más como el primero que como el segundo y se fue. Vi que prendió un cigarrillo. Yo también quería uno, pero me fui para casa.

Hablé con Rosario por teléfono. Estaba como loca, me dijo que dentro de un rato viene para casa a charlar.

Estoy nerviosa. Angustiada. Contenta. Me duele la panza. No puedo ni un minuto dejar de pensar en lo que pasó.

También tengo miedo de lo que pueda pasar. Somos re distintos en un montón de cosas, yo no me imagino saliendo con él y sus amigos. Si bien me imagino estando con su familia, compartiendo ese tipo de cosas.

Ahora espero que me llame.

No lo puedo creer. Simón Oliveira me dijo que me quiere. Que me quiere a mí, justo a mí. Ya no estoy enojada. Nunca quise a nadie como lo quiero a él.

No me llamó pero recién, son las 11 de la noche, me llegó un mail de Simón.

"Rafaela, perdoná que no te llamé. Pasa que me siento raro. Bien raro. Estoy confundido. Es verdad lo que te dije hoy, que te quiero. La verdad es que estoy confundido y no sé cómo es que te quiero. Si como amiga, o para otra cosa. No te quiero lastimar. No sé tampoco qué es lo que te pasa exactamente a vos conmigo. No sé lo que me pasa con vos. Estuve pensando y creo que lo mejor es que cada uno haga su vida hasta que se nos aclare qué nos pasa. Con otra chica podría salir sin estar seguro. Con vos no puedo. Simón."

Le contesté como pude.

"Simón, yo sé lo que siento. Me parece justo que no nos veamos, ni nos escribamos más hasta que sepas qué sentís. Rafaela."

Es increíble que en un solo día pasen tantas cosas, que todo en mi cabeza vaya para un lado y luego para el otro. Desde que nos despedimos en la esquina hoy que no dejo de pensar en el beso y en que me dijo "te quiero". Después vino Rosario y charlamos horas en mi pieza.

Ella estaba segura de que esto por fin, tarde o temprano, iba a pasar. Yo estaba emocionada. Me reía, lloraba. Ahora estoy llorando, pero no es de alegría. Siento que nada puede pasarme de verdad. Lo de hoy fue un amague, una muestra gratis de todo lo que me pierdo en este cuerpo. Estoy segura de que mi cuerpo tiene que ver con la confusión de Simón, mi cuerpo y que soy muy poco femenina. ¿Cómo con Josefina no dudó? Porque realmente le gustaba. Si conmigo duda es porque no le gusto. O porque no le termino de gustar. Y si no le termino de gustar tiene que ver este cuerpo enorme que no encaja en nada de lo establecido. Y aunque está mal que sea así, no encaja, no encaja para nada y yo quiero encajar. Quiero ser una más. No me siento una más en nada. Y cuando más lo siento, algo me recuerda que no soy como la mayoría. Veo una revista, la tele, veo las chicas en el colegio comiendo yogur todo el día para estar hechas un palo. Y si Simón siente cosas por mí hay un millón de cosas en contra. Sus amigos lo gastarían. ¿Y él no sentiría asco ante mi panza con rollos sin ombligo que se pueda mostrar? ¿Con alguien que no se pone malla y no usa remera aunque hagan 30 grados? A lo mejor, en otro lugar, no me vería tan gorda, sería otra la Rafaela escribiendo, viviendo.

Estoy tan triste que lo único que quiero es desaparecer. Irme para siempre a otro lado. Tengo tantas fantasías. Como que vuelve papá y me voy con él. Como que vuelve papá y me abraza todo lo que nunca me abrazó mamá.

Se terminó de imprimir en noviembre de 2002
en Latingráfica / Impresos Offset,
Rocamora 4161,
C1184ABC Ciudad de Buenos Aires.